DE MENS IN HET AQUARIUSTIJDPERK

Op deze plaats willen wij allen bedanken die, op welke wijze dan ook, betrokken zijn geweest bij de uitgave van dit boek.

DE MENS IN HET AQUARIUSTIJDPERK

SONIA

UITGEVERIJ DE GOUDEN KROON

Copyright 1997: De Gouden Kroon, Voorschoten
Uitgegeven door: De Gouden Kroon, Voorschoten
Omslagontwerp: Gea Hollestelle-Melinga
ISBN: 90-75343-15-9
NUGI: 614/626
Eerste druk: 1997
Druk: Alfa Base, Alphen aan de Rijn

INHOUD

HET WERK VAN SONIA

Een leven lang is Sonia getraind voor haar huidige werk: het optekenen van de aquariusmystiek. Elk tijdperk mag een nieuwe mystiek ontvangen van een hogere bewustzijnsfrequentie dan die van het daaraan voorafgaande tijdperk. Als mystica is Sonia grondig voorbereid op de taak deze mystiek via haar innerlijke verbinding te aarden vanuit de Akasha van het Leven.

Alvorens Sonia de aquariusmystiek op mocht gaan tekenen, is zij betrokken geweest bij de opbouw van de aquariusblauwdruk in de sferen (1985-1992). In die jaren gaf zij vierentwintig via de mystieke verbinding geïnspireerde cursussen vorm, die als een ooggetuigenverslag worden gezien van de voorbereidingen die in de sferen werden getroffen voor de intrede van het Aquariustijdperk. Dit ooggetuigenverslag van het vormen van de aquariusblauwdruk kan als een kroniek van deze tijd worden beschouwd.

Het optekenen van de aquariusmystiek, dat direct daarna begon, valt samen met haar omvattende taak behulpzaam te zijn bij het bekrachtigen van de aquariusblauwdruk. Deze bekrachtiging is in januari 1994 begonnen en zal tot en met het voorjaar van het jaar 2000 duren. Door dit werk is Sonia behulpzaam bij het aarden van steeds maar weer nieuwe wereldimpulsen die de aquariusvernieuwingen aanzetten. Zij ontvangt gelijktijdig de aquariusmystiek die, als gevolg van deze nieuwe impulsen, voor het leven opgetekend kan worden. Dit gebeurt tijdens lezingen en themadagen.

Haar werk is het directe gevolg van de verheffing die de evolutie voor het leven in het Aquariustijdperk geïnitieerd heeft. Deze verheffing wordt intensief begeleid door de Universele Wereldregering. Sonia is dan ook een woordvoerster van de Universele Wereldregering, die de komende ingrijpende veranderingen van het leven aan de mens verklaart en deze gelijktijdig vormgeeft in praktisch toepasbare mystiek.

VOORWOORD

Er heerst momenteel een koortsachtige activiteit in de sferen. Deze staat in verband met de bekrachtiging van de aquarius-blauwdruk van het leven, die zich van januari 1994 tot en met het voorjaar van 2000 voltrekt. Daarmee is de mens op weg gegaan naar het Aquariustijdperk, dat ongeveer vanaf mei 2000 een feit zal zijn.

Op alle fronten van het leven zijn zich grote veranderingen aan het voltrekken en in dit gegeven functioneert Sonia als een woordvoerster van de Universele Wereldregering. Zij mag deze veranderingen toelichten en de aquariusmystiek, die gelijktijdig vrijgegeven wordt, optekenen. In al haar inspiratie zult u de aquariusvernieuwingen die aan het inzetten zijn als een rode draad terugvinden.

In haar werk neemt dit boek: De mens in het Aquariustijdperk een centrale plaats in. Het bevat inspiratie die vanuit de Universele Wereldregering is gedicteerd met als doel de mens op het spoor te zetten van een nieuwe wijze van bewustwording: de weg van bewustwording door transformatie.

'De mens in het Aquariustijdperk' kunt u zien als een basisboek voor de nieuwe weg van bewustwording in het Aquariustijdperk. De mens zal zijn bewustwording in dit tijdperk dieper, vollediger en vooral liefdevoller naar zichzelf mogen vormgeven. Hij zal daardoor in staat zijn een einde te maken aan zijn lijdensweg. Het nieuwe werktuig waarmee hij dit kan doen, zijn vermogen tot transformatie, wordt u in dit boek uitvoerig verklaard. Hiervan kennis te nemen kan een grote doorbraak op uw weg betekenen.

De mens wordt in dit boek bovendien de weg gewezen hoe hij door de ontwikkeling van zijn bewustzijn als werker kan participeren in de Universele Wereldregering. Het mechanisme waarop het werken in de Universele Wereldregering is gefundeerd wordt u getoond en uitgelegd. Evenals het baanbrekende werk dat de mens daar mag verrichten door middel van de vele universele taken die nu aan hem worden vrijgegeven.

Wanneer u dit alles bestudeerd hebt, zult u het gevoel van machteloosheid, dat u zo vaak bekruipt wanneer u probeert iets te veranderen of bij te dragen aan het leven, volledig kunnen doorbreken. U zult dan begrepen hebben dat juist de mens het werktuig is dat de grote veranderingen in het leven zal bewerkstelligen. Een belangrijk deel van het boek wordt dan ook besteed aan het u wegwijs maken in de nieuwe universele taken die worden vrijgegeven. U zult daardoor gaan begrijpen hoe cruciaal de bijdrage van de mens in het leven is!

U wordt ook een sluier opgelicht van de plaats van dè mens in de evolutie. De rode draad die door zijn weg van evolutie - zijn weg van bewustwording - loopt, wordt hoofdstuk na hoofdstuk verder aangescherpt. Aan het einde van dit boek zult u uzelf dan ook volledig kunnen plaatsen in de grote loop van het leven.

INTRODUCTIE

Op zoek naar de zin van het leven
Veel mensen zijn bewust of onbewust op zoek naar de zin en het doel van het leven. Tijdens hun leven, meestal na een flinke teleurstelling, komen vragen naar boven als: Is dit nu alles, is dit nu werkelijk de zin van het leven? Is er eigenlijk wel een diepere zin in alles? Wat is toch het doel van het leven?

De mens verdringt deze vragen maar al te graag en stort zich maar weer eens in een nieuw vermaak dat zijn leven plezieriger kan maken, althans dat hoopt hij. Hij houdt zich daar een tijd lang mee bezig, totdat, meestal na een nieuwe teleurstelling, de onvermijdelijke roep weer in hem naar boven komt om naar de zin van het leven te gaan zoeken. Hij geeft dan onbewust gehoor aan de innerlijk gegeven oproep om bewust te worden.

Wanneer de mens hieraan bewust gehoor begint te geven, zal zijn bewustwordingsreis direct aanvangen en is de grote zoektocht naar de zin van het leven begonnen.

Op weg in bewustwording
In de bewustwording van de zin van het leven boden vroeger de religies een houvast. Door de toenemende secularisatie en de toenemende verzelfstandiging van de mens wordt hij echter steeds meer op zichzelf teruggeworpen om de diepere zin van het leven in zichzelf te zoeken en te ontsluiten.

Om de diepere zin van het leven in zich te kunnen vinden, ging de mens in eerste instantie op zoek in oude geschriften, zoals de Veda's, de Bhagavad-Gita, de Thora enzovoort. Zolang hij nog in het Vissentijdperk verbleef, dekte deze vlag de lading. Dat wil zeggen dat hij een juist inzicht kreeg in de diepere drijfveren van het leven en ook in de wijze waarop de mens de waarheid van het leven in zichzelf zou kunnen ontsluiten.

Het Aquariustijdperk breekt echter aan. Met de intrede van dit tijdperk komt er een nieuwe stroom van evolutie en een nieuwe vorm van bewustwording op gang. Deze roept de mens met extra grote kracht op om de universele waarheid van het leven te zoeken en deze in zichzelf te ontsluiten.

In het Aquariustijdperk zal de mens zich mogen ontwikkelen tot de kosmische mens[1], de mens die de universele waarheid in zich gevonden heeft en deze leert te gebruiken om er de diepere zin van het leven mee vorm te geven. Vanuit deze waarheid zal de kosmische mens zijn leven anders benaderen en zijn levensvisie volledig bijstellen. Maar bovenal mag hij zijn lijdensweg, waaronder hij een Vissentijdperk lang heeft gezucht, doorbreken!

De weg van bewustwording door lijden
Het Vissentijdperk (van 0 - 2000)
In het Vissentijdperk werd de mens bewust gemaakt door middel van lijden. Zijn bewustwordingsweg was namelijk gebaseerd op de wetten van oorzaak en gevolg, die via het karma (het oog om oog, tand om tand) de mens opvoedde tot iemand die meer in harmonie leefde met de bedoeling van het leven. Een Vissentijdperk lang was de bewustwordingsweg van de mens volledig gebaseerd op deze wetten, die hem via zijn karma steeds maar weer lijden op zijn weg brachten. Dit geschiedde net zo lang totdat hij dit karma leerde te overstijgen (H 4).

De weg van bewustwording door transformatie
Het Aquariustijdperk (van 2000 - 4000)
In het Aquariustijdperk zal de mens de universele waarheid, die gelegen is in de Bron van Leven[2] in hem, leren ontdekken. In de Bron van Leven gelden de wetten van Eenheid en Liefde, die de

wetten van oorzaak en gevolg volledig overstijgen. Op het niveau van de Bron heeft het karma zijn werkzaamheid verloren.

In het Aquariustijdperk zal het leven onder de wetten van Eenheid en Liefde vallen, die door de bekrachtiging van de aquariusblauwdruk in het leven zijn geïnitieerd. De werkzaamheid van de wetten van oorzaak en gevolg wordt nu heel langzaam maar zeker uit het leven teruggeroepen en de werkzaamheid van karma zal daardoor uitgediend raken.

In principe is dit voor de mensheid een enorm blijde zaak, ware het niet dat het directe gevolg van dit scheppingsbesluit is dat het leven in het vroege Aquariustijdperk al zijn karma af zal moeten lossen en dat de mens en het leven gedwongen worden hun karma uit te werken, enkel en alleen omdat de schepping het uit haar wezen duwt.

Bij een ogenschijnlijk genadeloos besluit wordt de mens direct een bijpassende genade geschonken. Hij mag namelijk de diep in zijn wezen gelegen Bron van Leven ontsluiten om met behulp van de Eenheid en de Liefde van de Bron de restschuld van zijn karma te neutraliseren. In de aquariusmystiek wordt de mens de weg gewezen hoe hij door transformatie met behulp van de scheppingskracht die in hem is zijn restschuld van karma kan neutraliseren zonder dat hij deze in lijden hoeft om te zetten!

De genade van het Aquariustijdperk
In het Aquariustijdperk mag al het leven zijn lagere aard, zijn benauwenis, overstijgen. Als gevolg daarvan zal het leven zijn ruimte, zijn hogere aard, ontdekken en deze leren integreren in zijn bestaan. Daardoor zal het zich van zijn benauwenis bevrijden. Voor de mens betekent dit concreet dat hij de Universele Liefde vanuit zijn hogere aard mag gaan integreren in het bestaan. Dit zal hem de overstijging van zijn lijden brengen.

De aquariusblauwdruk is helemaal op de Universele Liefde, op het hartcentrum van de schepping, geënt. De mens en het leven zullen daarom in het Aquariustijdperk qua bewustzijn de Universele Liefde gelijk worden. Karma en lijden hebben daar geen plaats meer in. Liefde en Eenheid hebben deze begrippen in de aquariusblauwdruk vervangen. De Liefde en de Eenheid van de Bron zullen de mens verlossen uit de kerker van karma en lijden.

In het Vissentijdperk gold de slogan 'door lijden wordt de mens bewust'. In de blauwdruk van het Aquariustijdperk ligt echter een universele waarheid voor dit tijdperk in een basiswet besloten die vrij vertaald luidt: lijden is niet meer de basisdrijfkracht van bewustwording! Door deze, in het leven voor het Aquariustijdperk vrijgegeven basiswet kan de mens zijn lijdensweg volledig doorbreken!

De mens op weg naar een liefdevolle toekomst
De mens mag op weg naar een hoger levensdoel, dat hem een betere toekomst biedt. Hij mag gaan leven geleid vanuit zijn hogere aard, die voor hem de Universele Liefde en een leven vanuit de Universele Liefde ontsluit.

De mens wacht een liefdevolle toekomst, die geënt is op de werken vanuit zijn hogere aard, de werken vanuit zijn geest, zijn bewustzijn. Het bewustzijn van de mens wordt in het Aquariustijdperk namelijk volledig ontsloten. Daardoor raakt hij verbonden met alle niveaus van Liefde, alle niveaus van Eenheid, alle niveaus van schepping en scheppingskracht. Hij mag dit alles leren benutten en werkzaam maken binnen het leven.

De mens is dan een werkzaam instrument van de Universele Liefde geworden en heeft het vermogen ontsloten om het eigen karma en daarmee de lijdensweg van de mensheid en van het leven te doorbreken. Met de intrede van het Aquariustijdperk gaat hij de exodus uit zijn lijden, de exodus uit zijn lagere aard, in om opgevangen te worden in de hogere aard van het leven, die hem Liefde en Eenheid brengt, omdat deze Liefde en Eenheid is.

Het doel van het leven in het Aquariustijdperk

In het Aquariustijdperk is het doel van het menselijk leven de universele waarheid, die in de Bron van Leven in hem ligt, te ontdekken. Door gebruik te maken van de scheppingskracht die hij daar vindt, kan hij via transformatie[3] (H 4) zijn lijdensweg opheffen.

Hij mag daarnaast de diepere spirituele taken van de kosmische mens in hem, die op hem liggen te wachten, leren onderscheiden. Hij mag de verbinding met de Bron van Leven, zijn innerlijk instrument, tot ontwikkeling brengen. Vanbinnen uit geleid zal hij dan zijn hogere universele taken op verschillende niveaus aan leren gaan en hij zal dan een universeel instrument voor het leven zijn.

1. LEVEN IN DUALITEIT

Het ego, de vrije wil van de mens
Heel lang geleden, in het paradijs, leefde de mens in volkomen harmonie met de goddelijke wil. God gaf echter in de Creatie de mens zijn individualiteit, zijn persoonlijkheid. Als onderdeel van die persoonlijkheid gaf Hij hem zijn vrije wil, die het ego wordt genoemd. De vrije wil was het nieuwe geboorterecht van de zojuist gecreëerde mens.

In de bijbel werd verteld dat Eva de eerste mens was die, gedreven vanuit haar ego, van haar vrije wil gebruik maakte en van de appel snoepte, ondanks het feit dat dat door God verboden was. Door Eva had de mens zijn vrije wil, zijn ego, voor het eerst daadwerkelijk gebruikt!

Toen de mens eenmaal zijn vrije wil ontdekt had, ging het vanaf dat moment langzaam bergafwaarts met hem. Het ego ging steeds meer willen en het begon zijn eigen leven te leiden. Er kwam disharmonie tussen de wil van God en de vrije wil van de mens en daardoor ontstond er dualiteit in het leven van de mens.

Het leven in dualiteit vangt aan
Zolang de mens zijn leven liet regisseren door de goddelijke oorsprong, de goddelijke wil diep in hemzelf, die 'het hogere zelf' wordt genoemd, bestond er slechts harmonie in hem en was het leven paradijselijk te noemen. Toen de mens echter voor zijn ego koos, dat gelegen is in zijn lagere zelf, en zijn vrije wil zijn leidsman liet zijn, dreef hij langzaam weg van de oorspronkelijke bedoeling met zijn leven. Er ontstond disharmonie in de mens: disharmonie tussen het hogere zelf, de goddelijke wil, en het lagere zelf, de vrije wil. De ervaring om onder de werking van de in hem aanwezige dualiteit te kunnen *lijden* was het directe gevolg daarvan.

Het spel van de dualiteit

Vanaf het gedenkwaardige moment dat Eva haar heldendaad verrichtte, is er 'beweging' in de mens ontstaan. Deze beweging zouden wij het spel van de dualiteit kunnen noemen, dat ook wel de strijd tussen goed en kwaad wordt genoemd. Hier zouden we dit proces slechts willen benoemen als de worsteling van het lagere zelf van de mens of hij zijn vrije wil voorrang wil verlenen óf dat hij deze in harmonie zal brengen met de goddelijke wil, die in het hogere zelf besloten ligt.

(N.B. Voor de opbouw van de mens, zie Appendix I)

De aftakeling van het leven begint

Langzaam maar zeker raakte de mens, door de greep die de dualiteit op hem kreeg, het contact met de goddelijke oorsprong in hem kwijt. Hij dreef steeds verder af van de werkelijke bedoeling met zijn leven, die echter nog wel steeds in die oorsprong, zijn blauwdruk, werd gekend. Zijn persoonlijkheid werd steeds belangrijker voor hem en onder aanvoering van de vrije wil kreeg het leven steeds meer een eigen patroon. De mens identificeerde zich steeds meer met zijn lagere aard en verloor langzamerhand het contact met zijn hogere aard.

De indaling in de materie, de involutie

In de loop van de evolutie heeft zich zo een lang involutieproces de materie in voltrokken, waardoor het bewustzijn van de mens zich steeds verder heeft verdicht. Dat betekent dat de mens zich steeds meer geïdentificeerd heeft met het leven in de materie. Hij is nu op het punt aangekomen dat hij volledig geïnvolueerd is en zich bijna uitsluitend nog met de materie identificeert.

Van involutie naar evolutie

Op het moment dat de indaling in de materie totaal werd en de involutie tot het diepste punt van de materie was gegaan, werd het leven van involutie naar evolutie geroepen. Het leven bereikte dat punt in 1985 en de mens heeft toen het keerpunt van involutie naar evolutie genomen. Vanaf dat moment mocht hij de terugweg inslaan om naar de oorsprong, de Bron van Leven, terug te gaan, om deze diep in hemzelf weer te ontsluiten.

De weg terug, de evolutie

Om de weg terug in te kunnen slaan, is het belangrijk dat de mens gaat zoeken naar de oorsprong van zijn leven om deze weer te herkennen en vorm te geven. Voorheen was zijn levensopdracht gericht op involutie, maar dat punt is hij nu gepasseerd. Zijn hogere levensdoel is nu gericht op evolutie, op het in de materie ontsluieren van de Bron van Leven in zichzelf.

In het Vissentijdperk stond de ontplooiing van de menselijke persoonlijkheid centraal, maar in de Spiraal van Evolutie, de spiraal van het Aquariustijdperk, draait het om het tot ontwikkeling brengen van de menselijke geest, zijn bewustzijn. In deze spiraal mag de mens zijn bewustzijn tot expansie brengen, waarin hij dan naar zijn nieuwe, hogere levensdoel mag toegroeien.

In de fase tussen de beide tijdperken met hun verschillende evolutie-opdrachten in voelt de mens zich heel vaak wat verward en ontredderd en is de kans dat hij ontspoort duidelijk aanwezig. Het oude levensdoel om te involueren is immers een gepasseerd station en het nieuwe levensdoel om te evolueren is nog niet zo duidelijk aanwezig. Dat laat zich amper nog onthullen.

Wanneer de mens vanuit zijn lagere aard blijft leven, dan laat dat hogere levensdoel zich niet onthullen, want deze wordt uitsluitend in het hogere zelf gekend. Het hogere zelf kan de mens zijn nieuwe levensopdracht verklaren en hem de vuistregels van de Spiraal van Evolutie bijbrengen. Daardoor kan zijn evolutie, zijn bewustwordingsweg, op een nieuw spoor komen en kunnen zijn hogere levensdoel en zijn hogere levenstaken ontsloten worden.

De mens op weg naar een nieuwe zetting
Door het hogere zelf geleid is de mens op weg gegaan om van een vissentijdperkmens (de aardemens) een aquariustijdperkmens (de kosmische mens) te worden, die de Bron van Leven weer in zichzelf ontsloten heeft (zie Appendix I). Deze, kosmische mens kenmerkt zich door een hoger, ruimer bewustzijn en dient een hoger levensdoel. Hij mag zijn universele levenstaken in zichzelf ontsluiten om daarmee het leven behulpzaam te zijn bij zijn bewustzijnsontplooiing die het in het nieuwe tijdperk wacht.

Om met de kosmische mens in onszelf in contact te komen, dienen wij niet alleen te onderkennen dat wij een persoonlijkheid met een vrije wil hebben, maar is het ook goed om te beseffen dat wij die vrije wil moeten gebruiken om ervoor te kiezen ons diepere levensdoel en onze universele levenstaken te ontsluiten!

De involutie van de Geest in de materie
In dit hoofdstuk is het nog niet de bedoeling om de hogere, universele taken van de kosmische mens te benoemen, dat geschiedt pas in hoofdstuk zes. Hier wordt echter wel al het hogere doel van het leven en van de kosmische mens neergelegd:

In de Spiraal van Evolutie is het hogere doel van het leven de kracht van de Bron van Leven, ook wel de Geest Gods genoemd, volledig in de materie te brengen. Na het keerpunt van involutie naar evolutie werd het integreren van de Geest in de materie het doel van de kosmische mens. De mens mocht incarneren in de materie en kon zo het menselijk bewustzijn in de materie involueren, opdat hij als kosmisch mens vanuit de materie de goddelijke Geest behulpzaam zou zijn om eveneens in de materie te involueren.

De reis van evolutie die de kosmische mens maakt is bedoeld om de involutie van de goddelijke Geest in de materie te helpen volbrengen.

2. HET VERKENNEN VAN DE MENS

Inleiding

In de Spiraal van Evolutie draait het om het ontplooien van het bewustzijn van de mens en het leven. De mens kan deze ontplooiing stimuleren door zijn weg van bewustwording aan te gaan, de weg van het verkennen van zichzelf.

Op deze weg begint de mens eerst zijn lagere aard te verkennen. In deel I van dit hoofdstuk zullen daartoe een aantal handvatten in de drijfveren van de lagere aard van de mens aangereikt worden. De mens kan daarmee een begin maken het persoonlijk handelen meer in overeenstemming te brengen met het werkelijke doel van het leven. Vervolgens mag hij in deel II de dualiteit van hoger en lager zelf in zichzelf beter leren onderscheiden en uiteindelijk mag in deel III inzicht worden verkregen op welke niveaus met dit alles gewerkt kan worden.

I: DE DRIJFVEREN VAN DE LAGERE AARD

Het vechten voor het bestaan

Het is een basiswet van het leven dat elk deel van het leven, elk organisme, het eigen bestaan beschermt. Het vecht voor zijn bestaan. De lagere aard heeft speciaal daartoe wapens gekregen, waarmee in dit hoofdstuk nader kennis gemaakt wordt.

Het vechten voor het bestaan zou als een normale, gezonde drijfveer vanuit de lagere aard bestempeld kunnen worden. De lagere aard kent echter ook ongezonde drijfveren tot handelen en daarin wordt hier ook meer inzicht gegeven. De diepere drijfveren van de lagere aard worden ontrafeld, waardoor u adequaat in kunt grijpen bij uw minder gewenste eigenschappen.

De meest basale eigenschap van de persoonlijkheid van de mens
is zijn behoefte aan bevestiging:

Bevestiging

Bevestiging is een hoedanigheid die een uiting is van het vechten
van de mens voor zijn bestaan. Bevestiging is op zich een gezonde prikkel. De mens kan daardoor deelnemen in het bestaan, hij
bevestigt zijn bestaan daarmee. Het zichzelf bevestigen is echter
geen gezond gegeven meer als het in de greep komt van het ego
van de mens en het niet alleen zijn bestaan bevestigt, maar vooral
zijn belangrijkheid, zijn grootheid.

In onze huidige bestaansvorm zoekt de mens zichzelf steeds maar
weer te bevestigen. Het ego wil belangrijk gevonden worden en
in aanzien staan. Het wil koste wat het kost pronken en het duldt
geen gezichtsverlies. Het ego ontziet daarin niets, want het kent
op zich geen liefde. Pas wanneer we ons hogere zelf door laten
werken in ons lagere zelf ontstaat er liefde in de mens. De vrije
wil van de mens streeft slechts naar aanzien, macht, geld en
prestatie en daarvan wil het steeds meer!

Om het zichzelf bevestigen weer tot normale, gezonde proporties
terug te brengen, zullen we de greep die het ego op de mens
heeft moeten normaliseren. Zijn bevestigingsdrang zal dan har-
monisch zijn: hij zal zich dan in zijn bestaan goed staande kunnen houden, zonder in een liefdeloze race naar meer en meer te
vervallen.

Aandacht

De mens die zich bevestigd wil zien, zoekt daarin aandacht voor
zichzelf. Hoe meer hij in de belangstelling staat, hoe meer hij
zich in zijn bestaan bevestigd voelt. Hij probeert deze belangstelling dan ook zo lang mogelijk vast te houden.

Wij kunnen op twee manieren in onze behoefte aan aandacht voorzien:

1. Positieve aandacht

De meest positieve vorm van aandacht krijgen verwerft de mens door het uitbouwen van zijn talenten. Met zijn talenten kan hij prestaties leveren, succes oogsten en aanzien verwerven. Met zijn talenten kan hij liefde geven aan de ander en zichzelf daarin bevestigd voelen. Hij kan zo op een positieve wijze deelnemen aan het bestaan en er bovendien aan bijdragen. Daardoor kan hij volop in zijn behoefte aan aandacht voorzien.

Bij het uitbouwen van zijn talenten moet de mens wel weer zijn ego in de gaten houden. Het is niet de bedoeling dat hij op overdreven wijze met zichzelf aan de haal gaat. De mate waarin hij aandacht via zijn talenten naar zich toetrekt, moet wel gezond blijven.

2. Negatieve aandacht

Daar waar de mens vindt dat er niet voldoende talenten aanwezig zijn, wordt de aandacht die hij zoekt op minder positieve wijze en zelfs nogal eens op negatieve wijze verkregen:

a. Het pronken met de materie

De onvervulde mens zal proberen aandacht te gaan trekken. De meest onschuldige vorm hiervan is het verkrijgen van aandacht via het pronken met bezit, geld, kleding en andere materiële zaken. Wij kennen allemaal de mens die zijn behoefte aan liefde en aandacht koopt of de mens die voortdurend kleding aanschaft om hiermee de aandacht naar zich toe te trekken. En denk eens aan de vrouw die haar hond in een smoking naar een theepartijtje meeneemt! De voorbeelden van deze vorm van op negatieve wijze aandacht vragen zijn legio.

b. Het zielig zijn

Het trekken van aandacht via mopperen en klagen is ook een negatieve vorm van in de belangstelling willen staan. We onderscheiden ons dan in het 'zielig zijn'. De mens voelt zich het slachtoffer van zijn lot en bevestigt zichzelf voortdurend door op deze negatieve wijze veel aandacht te vragen.

c. Het ontwikkelen van klachten en kwalen
We kunnen zelfs klachten en kwalen ontwikkelen om de aandacht van de omgeving maar vast te kunnen houden. Dit is de meest verwoestende vorm van het negatieve aandacht zoeken van de persoonlijkheid van de mens. Dit kan heel ver gaan. Sommigen ontwikkelen werkelijk levensbedreigende ziekten of brengen zichzelf letsel toe (automutilatie) om de aandacht van de ander maar vast te kunnen houden[4].

Het eindeloos bezoeken van therapeuten of alternatieve genezers die de mens veel aandacht geven valt ook onder deze noemer. Opmerkelijk hierbij is dat de mens nog voordat er een genezing bewerkstelligd kan worden dikwijls al weer 'teleurgesteld' vertrekt. Er zijn zelfs mensen die hun genezing om deze reden onbewust saboteren en daardoor niet te genezen zijn.

d. Het verslaafd zijn aan lijden
Sommigen mensen zijn zo gebonden aan de negatieve vorm van aandacht vragen door middel van lijden (in de breedste zin van het woord) dat we hierin een nieuwe vorm van verslaving ontdekken: het verslaafd zijn aan lijden. De aandacht die deze verslaving hen oplevert, houdt deze in stand.

Willen
Het meest dominante facet van de persoonlijkheid is het willen. Het vormt immers de basis van de vrije wil van de mens. Er is daardoor een nimmer aflatende impuls in ons om te willen en gedreven vanuit ons ego stellen wij ons een steeds hoger, beter en verder verwijderd doel.

Het willen wordt bovendien gestimuleerd door de drijfkracht van de evolutie: het perpetuum mobile van opgang en groei[5]. Dit

perpetuum mobile stuwt de mens vanuit de goddelijke wil volkomen transparant omhoog naar meer opgang en meer groei. Maar
als de vrije wil van de mens zich hieraan hecht, versterkt dit zijn
persoonlijk willen tot een grote mate van gedrevenheid. Hij zal
zijn persoonlijk willen dan voeden met de kracht van de evolutie.
Hij zal de kracht van de evolutie ondergeschikt maken aan zijn
persoonlijk willen. De gedrevenheid die dan in hem ontstaat,
zorgt ervoor dat er dan nog weinig rust in hem is.

Wensen, begeren en frustratie

Het wensen en begeren als uitingsvorm van het willen kan voor
een mens een behoorlijke handicap worden wanneer de spiraal
van steeds meer te willen uiteindelijk tot ontevredenheid, verdriet
en frustraties leidt. Frustratie is het gevolg van het niet meer
bevredigd worden van het ego in de manifestatie van zijn wil.
Het steeds verder gestelde doel kan immers op een gegeven
moment niet meer bereikt worden, want aan alles is een limiet!

Het gevolg hiervan is dat de mens het niet meer ziet zitten omdat
de zin van het bestaan afwezig lijkt nu het steeds maar weer
verder gestelde doel niet meer bereikt kan worden. De door hem
opgedane frustratie en verdriet kunnen tot depressies en somber-
heid leiden. Hieruit kunnen klachten en kwalen ontstaan, die het
leven dan weer verder bemoeilijken.

Angst

De mens die bevestiging zoekt, is bang hierin te falen. Het ego is
bang het steeds verder gestelde doel niet te kunnen bereiken. Het
heeft van nature niet voldoende vertrouwen in zichzelf, want het
zelfvertrouwen in de mens wordt namelijk door het hogere zelf
gevoed. Het gevolg van dit gebrek aan zelfvertrouwen is dat de
mens bang wordt.

Het ego dat zichzelf bevestigen wil, maar dit niet durft, maakt
gebruik van een in hem geprogrammeerde ontsnappingsclausule:

hij mobiliseert zijn angst. Angst is het werktuig van het ego om te kunnen ontsnappen aan de bevestiging in het bestaan en veroorzaakt het op de vlucht slaan voor het probleem dat we niet durven aan te zien. Angst vormt de basis waarop het vluchtmechanisme van de mens is gefundeerd.

In de natuur moet de mens vechten voor zijn lijfsbehoud. Angst is de prikkel die hem waarschuwt voor gevaar en hem dus assisteert in dit lijfsbehoud. Het is in feite een gezonde prikkel, die als hij overheersend wordt echter een grote handicap voor hem is. Wanneer de mens kampt met een te gering zelfvertrouwen zal hij te vaak van zijn vermogen tot angst gebruik maken en raakt hij langzaam maar zeker in de greep van die angst.

Als de mens op deze wijze verslaafd raakt aan zijn angsten, kunnen ze uitgroeien tot ware fobieën. De mens die eenmaal in zo'n spiraal terechtgekomen is, verschuilt zich achter zijn fobieën om de werkelijkheid niet onder ogen te hoeven zien: het falen van zijn ego in het krijgen van bevestiging. Hij voorziet in zijn behoefte aan aandacht door middel van de aandacht die zijn angsten en fobieën hem opleveren.

De mens ontslaat zichzelf van het moeten leveren van prestaties door zichzelf over te geven aan zijn angsten, die hem dan gaan beperken. Angst is op deze wijze voor hem het middel geworden om aan de verantwoordelijkheid voor zijn eigen leven of voor zijn eigen gedrag te kunnen ontsnappen. Het is een afweermechanisme van het ego dat geënt is op ontwijken. Voor de buitenwereld krijgen de angsten de schuld en het ego blijft gespaard. Het gebrek aan zelfvertrouwen blijft echter levensgroot aanwezig.

Vluchtgedrag
Het ego dat in het door hem gestelde doel of in het uitvoeren van het doel van zijn leven dreigt te falen kan dus via zijn angsten vluchten, maar de mens kent een nog meer complex vluchtgedrag, waarvan we hier enkele vormen benoemen:

1. Overactiviteit

De meest bekende vorm van vluchtgedrag is het vluchten in overactiviteit. Overactiviteit houdt niet alleen het te hard werken in, maar ook het ons voortdurend bezet houden met prikkels, zoals de radio, de televisie, de computer, gokspelletjes enzovoort. Ook het te intensief sporten kan als een vorm van overactiviteit worden gezien en valt dus onder de noemer vluchtgedrag.

Overactiviteit verdooft de mens, waardoor hij niet meer hoeft stil te staan bij de dieper gelegen realiteit van het leven en er op die manier voor kan wegvluchten.

2. Het slachtoffer zijn; projectie

Een andere vorm van vluchtgedrag is het steeds maar weer de ander de schuld geven van ons falen (projectie). Dit kan heel direct door het uiten van een beschuldiging, maar het kan ook op een ingewikkeldere manier, namelijk door het voortdurend aannemen van de rol van slachtoffer. Een slachtoffer vindt dat hij zelf niet meer verantwoordelijk is voor het resultaat van zijn leven, maar dat een ander het leven voor hem verpest heeft. Hij legt de verantwoordelijkheid dus bij de ander. Door zijn ongenoegen op de ander te projecteren spaart hij zichzelf, hij is immers slachtoffer van... Vult u zelf maar in.

3. Ziekte

Sommige mensen gebruiken hun klachten en kwalen als een middel om te vluchten voor de realiteit. Zij adopteren de slachtofferrol dan via hun ziekten. Hun ziekten zijn - al ervaren zij dat zelf beslist niet zo! - toch heel welkom en duidelijk zelfverkozen (zie ook Aandacht 2c). Deze ziekten vinden hun oorzaak in de psyche van de mens. Het kan gaan om lichtere kwalen, maar ook om ernstig chronische ziekten. De meest extreme vorm van ziekte als vluchtweg wordt gevonden in de hypochonder, die alleen nog maar met zijn ziekten bezig kan zijn en daardoor de essentie van zijn leven (zijn bewustwording) niet aan kan gaan.

De algemene oorzaak van ziekte vindt u in de uitwerking van het karma van de mens. Om uw weg uit uw ziekteprocessen te zoeken, verwijzen wij u naar hoofdstuk vier en naar Appendix IV.

4. Het saboteren van het geestelijk voertuig

Een nog ernstiger verwoestende vorm van vluchtgedrag is het vluchtgedrag dat zich volledig op het geestelijk niveau van de mens afspeelt. Door diep ingevreten frustraties (al of niet uit voorgaande levens) probeert de mens - meestal onbewust maar wel zeer doeltreffend - zijn geestelijk voertuig (soms nog voor zijn geboorte) onklaar te maken. Daardoor is hij niet meer toerekeningsvatbaar voor zijn eigen daden. U kunt hierbij denken aan ernstige geestelijke ziekten, zoals psychose, schizofrenie, autisme en het meervoudig persoonlijkheidssyndroom (MPS).

5. Verslaving

Een duidelijke vorm van vluchtgedrag zien we in het toegeven aan een verslaving. Door een verslaving kan de mens zich volledig verliezen in de greep die de materie op hem heeft. De materie houdt hem dan zó gebonden dat hij geen oog meer kan hebben voor de diepere realiteit van het leven, waardoor hij deze ontvluchten kan.

Verslaving kennen wij op drie niveaus, die er als volgt uitzien:

1. De verslaving die alleen het lichaam van de mens schade berokkent (voorbeeld: roken).
2. De verslaving die het lichaam en de maatschappelijke omstandigheden van de mens ontwricht (alcohol).
3. De verslaving die het lichaam, de maatschappelijke omstandigheden en de geest van de mens aantast (drugs).

De keuze voor de soort verslaving en de intensiteit waarin de mens deze doorleeft, bepalen de mate waarin hij vlucht voor de realiteit van zijn levensomstandigheden[6].

6. Spiritualiteit

Sommige mensen die een grote onvrede met hun leven hebben, verkiezen het juist om zich met hun bewustwordingsweg bezig te gaan houden. Dit geschiedt niet alleen omdat zij naar het doel van het leven willen zoeken of naar een meer liefdevolle inkleuring van hun bestaan, maar vooral omdat zij zoeken hoe zij zo snel mogelijk de cirkelgang van het aardse leven kunnen doorbreken.

Deze mensen hebben vaak de vreugde om te leven verloren of hebben die nog nooit gekend. Zij zijn fervente aanhangers van het idee te kunnen reïncarneren, maar eigenlijk verlangen zij slechts naar het eindpunt van de bewustwordingsreis: de bevrijding, de verlossing van het leven in de materie.

Het behoeft geen betoog dat de mens die louter uit negatieve motieven de weg van spiritualiteit zoekt nog niet aan de volle rijkdom van het leven die deze spiritualiteit hem bieden kan, zal toekomen. De liefde voor het leven en voor zichzelf als onderdeel van deze weg zal nog mogen worden geleerd.

7. Bescheidenheid

Bescheidenheid is een deugd die zich in de loop van de bewustwordingsweg langzaam maar zeker manifesteert. Mensen die geestelijk werkelijk 'groot' zijn, zijn meestal de meest bescheiden mensen. Wanneer er echter sprake is van een valse bescheidenheid, dan duidt dat meestal op de bescheidenheid van iemand die nog niet groot geworden is. Hij durft juist niet groot te worden uit angst voor de verantwoordelijkheid die deze geestelijke grootheid hem brengt. Hij dekt zich dan in via zijn bescheidenheid. De hunkering om echt wat te mogen betekenen in het leven blijft verborgen aanwezig.

8. Het vijanddenken

Sommige mensen kennen zo weinig liefde voor zichzelf dat zij dit gebrek aan liefde voor zichzelf voortdurend projecteren op de ander, die hen toch onmogelijk lief zou kunnen hebben! Hun gedrag kenmerkt zich door elke positieve, elke liefdevolle daad van de ander af te breken, mis te verstaan of zelfs om te draaien tot een daad van agressie naar hen. Het vijanddenken is dan geboren.

Vijanddenken houdt de mens verstoken van gezond dagelijks contact en het wil het gebrek aan liefde voor zichzelf keer op keer bevestigd zien, waardoor de mens zich volledig kan isoleren. Hij kan en wil niet op gezonde wijze met de ander communiceren; daardoor hoeft hij zich niet meer te meten, aan te scherpen of uit te zuiveren. Het proces van werken aan zichzelf, dat een fiks onderdeel van de bewustwordingsweg is, raakt hierdoor volledig geblokkeerd.

Machteloosheid

Sommige mensen trachten zichzelf in het leven te bevestigen, maar zij voelen zich om de een of andere reden te zwak, te krachteloos of ze zijn te weinig zelfverzekerd om dit adequaat te doen. De mens worstelt dan met een probleem van machteloosheid dat hij op verschillende manieren kan oplossen:

1. Hij kan zijn agressie mobiliseren om het gewenste doel alsnog te trachten te bereiken.
2. Hij kan zich afhankelijk maken van iemand die niet krachteloos is.
3. Hij kan een vorm van nihilisme gaan aanhangen, zoals het doemdenken.

1. Agressie

a. Directe agressie

Agressie behoort tot het verdedigingsmechanisme van de mens. De mens mobiliseert zijn agressie meestal wanneer hij een gevoel van onmacht ervaart. Wanneer hij zich onmachtig voelt om het gestelde doel te bereiken, wordt hij eerst boos, daarna woedend en in een nog later stadium agressief. Door agressief gedrag of door geweld tracht hij alsnog zijn gestelde doel te bereiken.

De agressie keert zich voornamelijk tegen datgene of diegene die de mens dwarsboomt, waar hij zich door bedreigd voelt of die hem ervan weerhoudt zijn gestelde doel te bereiken. Agressie, aangestuurd door het ego, is het wapen in de strijd om zijn wensen toch vervuld te krijgen. Agressie is door zijn egogebondenheid liefdeloos en het ontziet niets.

Soms is agressie het gevolg van een algemeen gevoel van onbehagen, dat opgewekt wordt door het gevoel van machteloosheid dat de mens bekruipt in de huidige bestaansvorm. Hij voelt zich machteloos om daar enige verandering in te brengen en dat maakt hem uiteindelijk agressief. Het agressieve gedrag uit zich dan bijvoorbeeld in het afbreken of het besmeuren van dat wat niet geaccepteerd wordt, in vandalisme, of ook weer in geweld.

b. Lijdelijk verzet
Een minder bekende vorm van agressie is het plegen van lijdelijk verzet, het zachtjes maar zeker saboteren van de plannen van de ander. Een ego dat zo'n sluipend lijdelijk verzet ontmoet, wordt meestal flink agressief, waardoor de mens die dit verzet pleegt meestal direct de slachtofferrol aanneemt: ik doe helemaal niets en kijk nu eens hoe jij reageert! Lijdelijk verzet hoort bij de mens die de slachtofferrol heeft aangenomen.

Agressie daarentegen is meestal openlijk en wordt duidelijk zichtbaar gericht op diegene die de agressie heeft opgewekt, daarin is zij eerlijk. Wanneer zij zich slechts uit in boosheid of woede kan agressie heel vaak tot positieve, constructieve veranderingen leiden en dient de agressie een goed doel. Bij het lijdelijk verzet komt er meestal geen constructieve oplossing naar voren omdat degene die dit verzet pleegt dat eigenlijk niet echt wil, daar hij nu eenmaal graag slachtoffer wil blijven.

c. Haat

Haat is de minst stoffelijke vorm van agressie, maar toch is deze zeer krachtig en afbrekend. Haat lost net als het lijdelijk verzet heel weinig op. Het is niet actief, het brengt geen verandering teweeg. Het hoort bij het slachtoffer dat vol haat naar zijn agressor kijkt, omdat hij zich machteloos voelt iets aan de ontstane situatie te veranderen. Haat is een vorm van verstarring, het is verstarde agressie die niet wordt geuit en die daardoor geen oplossing brengt.

2. Afhankelijkheid

Afhankelijkheid kennen we in diverse vormen:

a. Afhankelijkheid van de medemens

We kunnen ons afhankelijk maken van een ander mens, zoals de partner, de ouder, de dokter, de therapeut of een vriend(in). Deze relaties hebben dan één gemeenschappelijk kenmerk: u stelt hun visie of hun levenshouding boven die van uzelf. Met andere woorden: u levert u uit aan de ander wiens visie u als belangrijker ervaart. U durft dan ook geen beslissingen over uw leven te nemen zonder deze eerst met die ander te bespreken, om zijn goedkeuring in deze te krijgen.

b. Afhankelijkheid van kerk of instituut

U kunt zich ook afhankelijk maken van een gevestigd instituut of van de kerk. Zo stelden wij ons vroeger erg afhankelijk op ten opzichte van de mening van de kerk. Dat gebeurt in veel gebieden op de wereld nog steeds. Vol vertrouwen en vaak zonder nadenken volgt de mens de gegeven voorschriften.

Pas nadat de mens steeds zelfstandiger zijn eigen mening durfde te vormen en te uiten ontstonden naast de kerk instituten (bewegingen) als de Rozenkruisers, de vrijmetselarij, de antroposofie en andere. De onafhankelijke mens durfde een afwijkende levensvisie aan te hangen.

De instituten die uit onafhankelijk denken zijn ontstaan, trekken nu echter ook veel mensen die zich weer afhankelijk opstellen aan het langzaam gevestigde dogma van deze instituten waar zij affiniteit mee voelen. Hun afhankelijkheid verraden zij doordat zij dogmatisch met de leer die verkondigd wordt omgaan.

c. Afhankelijkheid van een goeroe of meester

Er is nu ook een wat modernere vorm van afhankelijkheid ontstaan: de afhankelijkheid van een goeroe of meester. De mens die zich te onzeker voelt om zichzelf te handhaven of te bevestigen, kan steun zoeken bij een bekende, maar hij kan het ook hogerop zoeken bij iemand waar hij affiniteit mee heeft en die hij wel de eigenschappen toedicht de in hem levende ideeën te kunnen verwezenlijken. Dit is bijvoorbeeld een goeroe/meester die een krachtige visie (leer) omtrent het leven heeft.

De mens kan zich dan aansluiten bij zijn volgelingen of voegt zich bij zijn ashram. Hoe krachtiger de uitstraling van de goeroe/meester is, des te meer bevestigt deze de hiermee gekozen levensweg. De goeroe realiseert de levensbevestiging dan voor die mens en deze hoeft slechts zijn volgeling te zijn.

Het kennisnemen van de leer van een goeroe of meester is op zich geen slechte zaak, als de goeroe/meester maar de discipline heeft zichzelf niet als 'God' te laten verheerlijken, maar de mens direct brengt naar de bron van universele waarheid in hemzelf: de Bron van Leven. Het is belangrijk dat hij de mens het contact met de innerlijke Levensbron leert zoeken en verwezenlijken, en dat hij de mens dan leert om van daaruit op eigen benen te staan door zelf uit de Bron van Leven kracht en inspiratie te putten voor zijn leven.

Het doorbreken van afhankelijkheid

De mens kan zijn afhankelijkheid en zijn daaronder liggende machteloosheid slechts doorbreken als hij leert te vertrouwen op zichzelf. Dat zelfvertrouwen put hij niet uit zijn persoonlijkheid, maar vindt hij in zijn hogere zelf, dat hem met de Bron van

41

Leven verbindt. Wanneer hij met zijn hogere zelf kan communiceren, zal hij zijn afhankelijkheid van een ander kunnen doorbreken. Hij zal dan vanbinnen uit gesteund en geleid kracht en
inzicht putten uit de universele waarheid van de Bron van Leven
en de universele levensvisie die hij daar vindt zelf kunnen uitdra-
gen (H 4 en H 6).

3. Doemdenken
Doemdenken is een uitingsvorm van een negatieve levensver-
wachting die de mens heeft. Met dit doemdenken tracht hij
zichzelf te verontschuldigen voor het feit dat hij niet hard genoeg
werkt om zichzelf, de ander en de wereld een positieve toekomst-
verwachting te geven. Doemdenken is ook een vorm van machteloosheid: het heeft toch immers totaal geen zin, waarom zou je je
dan zo uitsloven? Doemdenken leidt tot somberte en depressie.

II: HET ONDERSCHEID TUSSEN DE LAGERE EN DE HOGERE AARD

De samenwerking van de lagere aard en de hogere aard
Tot nu toe hebben we uitsluitend de drijfveren van de lagere aard
bekeken. We hebben ook gezien wat er met de mens kan gebeuren als de lagere aard zich niet goed kan handhaven. Dat wil
zeggen: wanneer deze niet goed verbonden is met de innerlijke
kracht in de mens, de Bron van Leven. Het is daarom van groot
belang dat heel duidelijk gemaakt wordt dat het innerlijk anker,
de innerlijke kracht van de mens, in het hogere zelf gevonden
wordt. Deze geeft hem de kracht waarop het lagere zelf floreren
kan.

Hieruit kunnen we concluderen dat het lagere zelf van de mens
alleen goed tot zijn recht kan komen als deze gevoed en in
evenwicht wordt gehouden door het hogere zelf. Bij de paragra-
fen over afhankelijkheid werd reeds aangegeven dat deze alleen
te doorbreken is vanuit het vertrouwen, dat de mens slechts kan
putten uit het hogere zelf. Agressie en haat kunnen ook alleen

maar doorbroken worden door de liefde, die een kwaliteit is van het hogere in de mens.

Bij alle hoedanigheden van de lagere aard zouden we kunnen opmerken dat die alleen tot hun volle recht kunnen komen in contact met de hogere aard.

Zuiver en onzuiver

Tot nu toe ging het merendeel van dit hoofdstuk over het gedrag dat kan insluipen als de mens niet goed gevestigd is in zijn innerlijke bron van kracht. Dit gedrag zouden we hier als 'onzuiver' willen betitelen.

Onzuiver is alles wat niet in overeenstemming is met de oorspronkelijk bedoeling van een levensvorm.

De intentie van dit hoofdstuk is u te stimuleren tot onderscheid te komen in dit gedrag, waardoor u het zou kunnen omvormen tot een meer 'zuiver' gedrag.

Zuiver is dat wat in overeenstemming is met de oorspronkelijke bedoeling van een levensvorm.

De dualiteit van duisternis en licht
De duisternis

Alles wat onzuiver is, hoort tot het leven dat 'duisternis' wordt genoemd. De duisternis is voor de mens onzuiver, omdat zij niet tot zijn levensbedoeling behoort. De mens is niet geschapen om in duisternis te moeten leven.

Het licht

Het licht, de positieve scheppende energie van het leven, kunnen wij als zuiver betitelen omdat het wel tot onze levensbedoeling hoort het licht in ons en in ons leven te vestigen. Wij leven in een lichtschepping (H 7), waarin de expansie naar meer licht het

43

doel van het leven is. Licht behoort daarom tot de fenomenen die wij als zuiver mogen bestempelen.

De strijd tussen goed en kwaad
In de strijd tussen goed en kwaad (tussen licht en duisternis) is de mens de inzet. De mens beslist namelijk of hij in overeenstemming met het doel van het leven zal leven of niet. De strijd tussen goed en kwaad is de strijd tussen het lagere en het hogere zelf om voorrang in de mens te krijgen. Het is de bedoeling dat de uitkomst van deze strijd is dat het hogere zelf in het lagere zelf integreert, om het lagere zelf in overeenstemming met het licht te kunnen laten functioneren.

De weg van bewustwording
Wanneer we zien hoe makkelijk de mens van zijn weg afdwaalt, dan begrijpen we hoe belangrijk het is dat hij zijn weg van bewustwording aan wil gaan. Zo kan hij namelijk bewerkstelligen dat hij steeds zuiverder handelt en in overeenstemming gaat leven met het doel van zijn leven en van het leven.

In verband hiermee is het dus ook belangrijk om te gaan begrijpen hoe het hogere zelf functioneert en vooral hoe we zijn werkzaamheid in het lagere zelf kunnen herkennen. Tot nu toe hebben we slechts de werking van de lagere aard geschetst, maar we gaan nu ook aandacht besteden aan het hogere zelf en aan hoe het hogere in het lagere doorwerkt en wat dat de mens brengt.

Het hogere zelf
Het hogere zelf is het voertuig waarin de goddelijke persoonlijkheid van de mens gedragen wordt (zie Appendix I).

De ziel
In het hogere zelf vinden we in de eerste laag de ziel, die de behoeder van de mens is. De ziel stemt het individuele leven, de persoonlijkheid, af op het hogere leven, de goddelijke persoon-

lijkheid. De ziel vormt de sluis tussen de mens van dit leven en zijn eeuwige kern, zijn goddelijk wezen. De ziel bevat alle informatie van voorgaande incarnaties en met die informatie, die zij uit uw levensakasha put, handelt zij naar de mens.

Via de ziel wordt alle karmische informatie uit voorgaande levens naar de mens doorgesluisd. De ziel sluist niet alleen door, maar daarnaast tracht zij als de stem van het geweten op de mens in te werken, om hem te helpen zijn karma op juiste wijze af te gaan lossen. In eerste instantie functioneert de ziel als de begeleider van de mens, maar later sluist zij ook de informatie van de hogere universele (innerlijke) leiding naar de mens door. Zo komt via de ziel zeer zuivere informatie tot de mens.

De geest en de hogere geest
In het hogere zelf bevinden zich verder de geest en de hogere geest; samen vormen zij het bewustzijn. Het bewustzijn van de mens is aan expansie onderhevig. Het kan zodanig expanderen dat het uiteindelijk de Bron van Leven volledig kan dragen; tenminste, als u daar qua bewustzijn naartoe bent gegroeid.

Door zijn opbouw staat het hogere zelf steeds open voor groei, net zoals ook uw persoonlijkheid door uw inzet kan groeien. Wanneer het hogere zelf, met zijn steeds verruimende bewustzijn, dan ook nog eens in die persoonlijkheid integreert, zal de groei van uw persoonlijkheid uw voorstellingsvermogen te boven gaan (zie H 6).

Het ontstaan van het lagere zelf
Na vier maanden zwangerschap, waarin het stoffelijk lichaam van de mens wordt aangelegd, wordt in de moederschoot ook begonnen de fijnere geestelijke (spirituele) lichamen op te bouwen. De goddelijke informatie van de mens incarneert daar dan reeds in de moederschoot in. Zo wordt bijvoorbeeld reeds het voertuig van het ego, de vrije wil van de mens, aangelegd.

In eerste instantie wordt dus het volledig transparante goddelijke voertuig van de mens gevormd. Tijdens de zesde en de zevende maand incarneert daarin een klein gedeelte van de persoonlijke informatie vanuit het goddelijk wezen (de ziel) van deze mens, die verder dan nog bijna volledig in het Rad van Wedergeboorte verblijft. Dat op dat moment nog niet alle persoonlijke informatie incarneert, houdt verband met het risico dat er nog iets mis kan gaan met de mens tijdens de zwangerschap en de geboorte.[7]

Het karakter van de mens

Op het moment van de geboorte incarneert de mens pas volledig. Alle overige informatie van de ziel incarneert dan in de op dat moment gevormde persoonlijkheidsakasha, het dragende veld van het lagere zelf. Deze persoonlijkheidsakasha wordt bij de geboorte ingekleurd doordat de ziel een afdruk maakt van de staat van het bewustzijn die de mens verworven heeft door zijn groei over de levens heen. De ziele-akasha drukt zich af in de voor de nieuwe mens gevormde persoonlijkheidsakasha. Deze afdruk wordt het karakter genoemd.

Het proces van incarnatie is pas vier maanden na de geboorte voltooid. De persoonlijkheidsakasha is dan volledig tot ontwikkeling gebracht en vanaf dat moment kan de mens aangesproken worden op zijn persoonlijkheid. De bewustwordingsreis van de mens kan beginnen, omdat de gegevens die hij daarvoor nodig heeft nu in zijn persoonlijkheidsakasha geregistreerd kunnen worden. De mens heeft dus vanaf dat moment volledig toegang tot zijn lagere zelf en de registratie van zijn leerstof is begonnen!

Op weg het leven in

In de eerste zeven jaren van zijn leven registreert de mens voornamelijk. Hij doet heel veel impressies op waar hij later mee zal gaan werken. Afhankelijk van zijn opvoeding komt het moment dat de mens van zijn registrerende fase overgaat naar zijn werkende fase. De reis van bewustwording kan dan beginnen en het onderscheid tussen het werken vanuit het lagere zelf en het werken vanuit het hogere zelf mag duidelijk gaan worden.

Het onderscheid naar de realiteit van het leven

Door te zien dat het lagere zelf ingekleurd wordt met de persoonlijke informatie van over de levens heen, die in de sferen in de ziel van de mens bewaard gebleven is, wordt het meteen weer wat duidelijker dat het hogere wezen van de mens de eindverantwoordelijkheid over zijn leven draagt. Het lagere zelf is slechts het tijdelijke voertuig dat gecreëerd is voor het verblijf op aarde (in de materie). Het is daarom uiterst belangrijk dat de drijfveren van de lagere aard onderscheiden kunnen worden van de impulsen vanuit het hogere wezen, de eeuwige, voor de mens verantwoordelijke kern: zijn meest significante realiteit!

Het werken vanuit het lagere zelf
Werken vanuit de plicht

Om te kunnen onderscheiden of de mens ten prooi is aan drijfveren vanuit het lagere zelf of dat hij gedreven wordt vanuit de diepere motieven van zijn hogere zelf is het goed om de volgende vuistregel te onthouden: het lagere zelf op zich kent geen liefde. Er ontstaat pas liefde in de persoonlijkheid wanneer het hogere in het lagere begint door te werken. Het lagere zelf handelt slechts uit een vertaling van de liefde, een lagere kwaliteit van de liefde: de plicht.

Werken puur vanuit de persoonlijkheid is werken vanuit plichtsbetrachting. De voornaamste drijfveer van dit handelen is niet de liefde voor de medemens of voor de zaak waar men voor werkt, dit handelen wordt opgelegd vanuit de eigen wil. De persoonlijkheid wil het. Je hoort de mens daarbij verzuchten: het moet nu eenmaal, het *moet*!

De spiraal van plicht en schuldgevoel

De plicht wordt heel vaak geactiveerd door ingewikkelde spiralen die opgeroepen worden vanuit schuldgevoel. De mens die faalt, voelt zich schuldig. Hij meent dat het zijn plicht is het weer goed te maken. Vanuit het schuldgevoel wordt de plicht tot goedmaken

47

geboren. Schuldgevoel en plicht zijn twee belangrijke componenten die het handelen vanuit het lagere zelf bepalen.

Liefde, het contact met het hogere zelf

Vanuit het lagere zelf kan de mens hoogstens opklimmen tot altruïsme: het geven van persoonlijke aandacht vanuit de plichtsbetrachting. Deze aandacht kenmerkt zich door warmte, genegenheid en is gekleurd door emotie. De werkelijke liefde, het ware gevoel van de mens, gaat pas stromen als het begin van integratie van het hogere in het lagere zelf verwezenlijkt wordt. Dan pas kan het persoonlijke altruïsme verrijkt worden met een steeds weer groeiende belangeloze liefde.[8]

Liefde is de doorstraling van de kracht van de Bron van Leven, die via het hogere zelf tot het lagere zelf van de mens komt.

De Universele Liefde

Vanuit de Bron van Leven werd de scheppende oerenergie uitgezonden. Deze waaierde zich uit in dertien universele scheppende krachten, die dertien niveaus van Universele Liefde vertegenwoordigen. Wat wij mensen 'liefde' noemen, heeft meestal niet de kwaliteit van deze belangeloze Universele Liefde. In alle gradaties van niveaus treffen wij vermengingen aan met eigenliefde (egoïsme), plichtsbetrachting en liefde voor de ander die wel een afspiegeling zijn van de ware Universele Liefde.

Gaande op onze weg zal ons wezen zich uitzuiveren en zal ons bewustzijn zodanig groeien dat we uiteindelijk, als einddoel op onze weg, de sluis naar de werkelijke Universele Liefde in ons wezen zullen openen. We komen dan bij de Bron van Leven aan en op dat niveau zullen we begrijpen wat oprechte, belangeloze Universele Liefde voor ons leven en voor dat van de ander betekent.

Gaande op onze bewustwordingsweg zullen we door de ontwikkeling van ons bewustzijn een steeds hogere kwaliteit van liefde in ons ontwikkelen, die we dan mogen integreren in ons lagere zijn. Dit gaat door totdat we uiteindelijk volledig in de Universele Liefde worden opgenomen en slechts Liefde Zijn, die we dan kunnen uitstralen en mogen leren hanteren.

In het Aquariustijdperk, waarvan de blauwdruk geënt is op de Universele Liefde, zal de mens de Universele Liefde volledig mogen ontsluiten. De menselijke liefde zal daardoor universeel worden. De mens zal een christus gelijk worden en hij zal als zodanig leren handelen. Zijn handelen zal dan wis en waarachtig niets meer te maken hebben met plichtsbetrachting! Belangeloos, universeel, als een hoorn van overvloed zal deze waarachtige Liefde stromen. Daarheen is de mens op weg in zijn reis van bewustwording.

Het lijden
Naast zo'n grote stroom van liefde die de mens mag verwachten wil direct het vervelende gevoel geplaatst worden dat de mens doorleeft wanneer hij verstoken is van deze liefde. Dit gevoel wordt *lijden* genoemd.

Lijden is het verstoken zijn van de doorstroming van de Universele Liefde.

De oorzaak van lijden
Er zijn drie oorzaken waardoor een mens lijdt:

1. Het lagere zelf houdt hem in zijn greep.
2. Hij lijdt door het uitwerken van zijn karma.
3. Hij blokkeert zichzelf in de doorstroming van de liefde.

1. In de greep van het lagere zelf

De belangrijkste oorzaak van lijden is de greep die het lagere zelf op de mens heeft. Zolang de mens in de greep van het lagere zelf blijft, kan er weinig vervullende Universele Liefde in zijn leven doorwerken. Daardoor kan hij zich niet boven de lijdensspiraal verheffen.

De mens blijft zich dan bijvoorbeeld bezig houden met de race naar meer en meer, waarin hij teleurstelling op teleurstelling te verwerken krijgt. Zijn onvervulde wensen, verlangens en begeerten bezorgen hem een hoop verdriet, wat hij als lijden ervaart. Dit gaat net zo lang door totdat de mens door de weg van bewustwording aan te gaan de greep van het lagere zelf kan doorbreken.

2. Lijden als uitwerking van karma

Het handelen van de mens laat een spoor van indrukken na in het levensfluïdum (de akasha van het leven). Het wordt bovendien opgetekend in zijn persoonlijkheidsakasha, welke onder andere als geheugen voor dit handelen functioneert. Dit handelen wordt door gebruik te maken van de persoonlijkheidsakasha regelmatig naar hem teruggespiegeld. Op vergelijkbare wijze functioneert ook de ziele-akasha. Met dien verstande dat deze het handelen van zijn vorige levens terugspiegelt. Het resultaat van de terugspiegeling van het handelen van de mens wordt ook wel het karma van de mens genoemd.

Karma kan positief of negatief zijn. Positief karma, door juist en liefdevol handelen, brengt de mens positieve trillingen, die hij als blijheid en geluk ervaart. Negatief karma, ontstaan door het handelen vanuit lagere motieven, brengt lagere trillingen naar hem toe, die onbelicht zijn door liefde. Deze ervaart hij als lijden. De stroom van tegenslag en verdriet die zoveel mensen alsmaar moeten doorleven, wordt veroorzaakt door de terugspiegeling van het negatieve karma uit dit of uit vorige levens (zie H 4).

Het is zonneklaar dat de mens ook deze vorm van lijden doorbreken kan door juister te leren handelen door zijn bewustwordingsreis aan te gaan.

3. Het blokkeren van de stroom van liefde

Te geringe zelfacceptatie
Wanneer een mens kampt met een te geringe zelfacceptatie blokkeert hij de stroom van liefde voor zichzelf. Hij moet namelijk eerst liefde voor zichzelf kunnen voelen voordat hij de liefde van zijn medemens en van het leven kan toelaten.

Eenzaamheid
Het blokkeren van de liefde geeft de mens een intens verloren gevoel dat aan hem vreet in de vorm van eenzaamheid. Eenzaamheid holt de mens langzaam uit en kan tot somberte en depressie lijden.

Onverschilligheid
Het blokkeren van de liefde kan de mens gevoelsarm maken, zo niet totaal onverschillig. Zijn onverschilligheid maakt hem contactarm en in een zwaardere vorm kan het de mens zelfs levensmoe maken. Hij zal zijn onverschilligheid dan niet uiten naar de mens, maar naar het leven toe.

Het is duidelijk dat zowel de eenzame als de onverschillige mens lijdt onder zijn onvermogen de liefde in zijn leven toe te laten.

Depressie als gevolg van lijden
Wanneer de mens zichzelf niet waardig acht om zijn bewustwordingsweg aan te gaan, wanneer hij geen contacten kan aangaan omdat hij zichzelf hiertoe te gering acht of wanneer hij zelfs het leven niet kan aangaan, uit zich dat in een depressie. Door veel te lijden wordt de mens depressief. Als we in de definitie van lijden zien dat lijden als oorzaak het niet toe durven laten van de

liefde heeft, is de diepere oorzaak van de depressie gauw gevonden:

Depressie is het gevolg van het niet toe durven laten van persoonlijke liefde of Universele Liefde voor jezelf[9].

Lijden - depressie - lijden, een spiraal die een vicieuze cirkel zou kunnen zijn, ware het niet dat de mens deze doorbreken kan op de reeds bekende manier, namelijk door bewustwording!

Genieten, geluk

Wanneer we naar het leven kijken, zien we dat bijna elk mens regelmatig lijdt. We hebben nu gezien waardoor het lijden veroorzaakt wordt, maar waar kan nu de basis van genieten en van geluk gezocht worden?

Genieten, het geluk van het lagere zelf

Genieten van het leven zou je het beste kunnen omschrijven met een gevoel van blijde harmonie in de mens. De harmonie in ons wordt veroorzaakt door een in ons opgeroepen blijdschap, bijvoorbeeld doordat er een wens van ons in vervulling is gegaan. Een gevoel van blijdschap dat langer aanhoudt, gaat over in een gevoel van genieten.

Genieten is beperkt tot het lagere zelf, het heeft slechts betrekking op de persoonlijkheid van de mens. Het is een ervaring van die persoonlijkheid. Genieten is dientengevolge van korte duur: het duurt net zolang of kort totdat de blijdschap wegebt en we, wederom gedreven vanuit het lagere zelf, een nieuwe wens in vervulling willen laten gaan.

Waar geluk, het contact met het hogere zelf

Waar geluk wordt ervaren in contact met het hogere zelf. Geluk is een aanraking van het hogere, een ervaring van het hogere, die in de persoonlijkheid van de mens beleefd kan worden door de integratie van het hogere in het lagere zelf.

Geluk is duurzaam, het is een ervaring van de Bron van Leven in de mens die tot een permanente staat van Zijn kan uitgroeien. Willen wij deze staat van Zijn in ons ontwikkelen, dan moeten wij trachten de greep die het lagere zelf op ons heeft te doorbreken. En wanneer wij deze doorbroken hebben, zullen wij het geluk langzaam maar zeker integreren in ons persoonlijk leven.

De integratie van het hogere in het lagere zelf

De integratie van het hogere in het lagere zelf wordt in etappes gerealiseerd wanneer door de bewustwording van de mens steeds weer een dieper en krachtiger deel van het hogere zelf kan indalen in het lagere zelf. De persoonlijkheid wordt dan langzaam veredeld door het hogere bewustzijn en de grotere liefde die in het hogere zelf aanwezig is. Geleidelijk zullen er dan ook diepere inzichten vanuit dat hogere bewustzijn in de persoonlijkheid indalen.

Wanneer de mens zijn lagere aard langzaam overwint, wordt de weg uiteindelijk vrijgemaakt voor een volledige indaling van het hogere in het lagere om de volmaakte staat van Zijn te bewerkstelligen en de levensbedoeling van de mens vorm te geven.

III: DE DRIJFVEREN VAN DE WERKZAAMHEID VAN DE MENS

De verschillende niveaus van werkzaamheid

Door het aangaan van de bewustwordingsreis vangt de werkzaamheid van de mens aan. Hij werkt dan voor het eerst bewust aan zijn eigen leven. Hij vangt aan zich te vervolmaken, waardoor hij in een later stadium ook tot hogere werkzaamheden geroepen kan worden. Deze kunnen alleen via zijn hogere zelf naar hem toe gespiegeld worden. In een wat later stadium zal de mens ook mogen bijdragen aan de ontwikkeling van de ander en van het leven.

De mens mag eerst werkzaam worden in de Spiraal van Bewustwording, om vervolgens werkzaam te worden in de Spiraal van
Transformatie. Deze spiraal zal ook weer een hogere werkzame
spiraal ontsluiten: de Spiraal van Transmutatie[10]. In elke spiraal
krijgt de mens meer verantwoordelijkheid en wordt zijn actief
vermogen tot werken krachtiger. De werkzaamheid van de mens
zal uiteindelijk een universele werkzaamheid worden, die volledig betrokken is op het leven en op de evolutie.

Dualiteit en universele werkzaamheid

Door de beweging die de Creatie op gang bracht kwam er dualiteit in de mens en de schepping. De dualiteit in het leven brengt
het onderscheid dat de basis vormt van de bewustwording van de
mens. In zijn bewustwording gaat de mens zoeken naar de
diepere zin van zijn leven, om daarin werkzaam te worden.

Door de beweging in de schepping kan de mens werkzaam zijn.
Door de stilte, door de eenheid gevonden in zijn hogere zijn, kan
hij zijn werkzaamheid een universele werkzaamheid laten zijn.
Door de integratie van de eenheid in de dualiteit kan hij een
universele werker voor het leven zijn.

De vrije keus

In de vorige paragraaf is beschreven dat de mens een universeel
werker kan zijn, maar dat hóeft hij niet! Hij heeft nog steeds zijn
vrije wil. Besef dat u behoorlijk veel moeite moet doen om de
goddelijke bedoeling van uw leven in u te laten integreren. Want
alleen als de mens zijn vrije wil laat opgaan in de hogere goddelijke wil, komt de integratie van het hogere in het lagere op
gang, waardoor de geheimen van de Bron van het Leven op den
duur aan de mens ontsloten zullen worden.

Het einddoel van de Spiraal van Bewustwording

De Spiraal van Bewustwording eindigt op het moment dat de mens het contact met de Bron van Leven in zichzelf bewerkstelligd en geïntegreerd heeft. Dan is hij volledig bewust en heeft hij de eindbestemming van deze spiraal gevonden.

Op weg in de Spiraal van Transformatie

De bewust geworden mens gaat dan direct een nieuwe fase in. Hij mag in de Spiraal van Transformatie leren werken met het goddelijk bewustzijn dat in hem uitgekristalliseerd is en waarin de Bron van Leven hem dan zal begeleiden. Deze zal de levensmysteriën in hem vrijgeven om zijn werkerschap keer op keer zuiverder te kunnen richten (H 4, H 6).

Op weg in de Spiraal van Transmutatie
Op weg naar de totale verlichting

Door als werker te werken en dat op alle niveaus van het leven te leren doen, gaat de mens in de Spiraal van Transmutatie op weg naar de totale verlichting van zijn geest. De totale verlichting van de menselijke geest is het einddoel van zijn evolutie. De mens zal dan als avatar door het leven mogen gaan om de evolutie, het leven, de mensheid en de individuele mens te mogen assisteren op zijn weg (H 6).

Op deze hoogte aangekomen kan de mens er wederom uit vrije wil voor kiezen de menselijke evolutiespiraal te doorbreken om in de goddelijke evolutiespiraal te worden opgenomen (H 7).

3. ACCEPTATIE

Het lagere zelf, een goddelijk instrument

Door het lezen van het voorgaande hoofdstuk zou het kunnen zijn dat u een afkeer van uw lagere zelf hebt gekregen. Het laat u uw onvolmaaktheid zien, die u misschien het liefst niet onder ogen zou zijn gekomen. Ten onrechte zou u hierdoor het gevoel kunnen bekruipen dat het lagere zelf maar een minderwaardig, tweederangs orgaan is dat het u alleen maar lastig maakt.

Niets is minder waar. Het lagere zelf is van oorsprong een totaal zuiver goddelijk instrument. Vanuit de persoonlijkheid, met zijn vele facetten, kan de mens gebruik maken van het ego. De wijze waarop de persoonlijkheid dit ego, zijn vrije wil, hanteert, bepaalt de wijze waarop de uitwerking van het lagere zelf zich manifesteert.

Deze uitwerking kunnen wij als negatief of als positief ervaren. Hierdoor wordt er onderscheid in de mens geboren. Dit onderscheid zorgt ervoor dat de mens zijn lagere zelf zuiverder zal richten. Niet het lagere zelf is de boosdoener, maar de persoonlijkheid die het hanteert.

Het eerste begin van de bewustwordingsweg

Aan het begin van zijn bewustwordingsweg wordt de mens geroepen zich van zijn onvolkomenheden bewust te worden. Hij mag tot onderscheid komen, om met dit onderscheid aan zichzelf te gaan werken en zijn persoonlijkheid te disciplineren. Het eerste deel van de bewustwordingsweg is dan ook bedoeld om de mens onderscheid en discipline te laten verwerven.

1. Onderscheid

Een gebrek aan onderscheid in ons handelen zorgt voor onze onvolmaaktheid. Deze onvolmaaktheid houdt de groei van ons bewustzijn tegen. Onderscheid verwerven is dan ook fundamenteel op de bewustwordingsweg, het brengt ons tot bewustzijn. Het doel van onze bewustwordingsweg is de groei van ons bewustzijn, het verwerven van onderscheid brengt ons daar.

Het lagere zelf heeft als voornaamste taak het onderscheid in de mens aan te scherpen, waardoor hij tot bewustzijn kan komen. Het lagere zelf is het belangrijkste orgaan om het bewustzijn van de mens te wekken, zodat hij weer tot zijn zuivere oorspronkelijke hoog bewuste staat teruggevoerd kan worden, om deze in volledige overgave te mogen hanteren.

2. Discipline

Discipline verwerven over de persoonlijkheid is om meerdere redenen belangrijk. Ten eerste om de onvolkomenheden in de lagere aard van de mens te kunnen uitzuiveren en in een later stadium is het enorm belangrijk dat de mens de persoonlijkheid, die de grote kracht die in de schepping ligt mag leren hanteren, ook werkelijk onder controle houdt. Wanneer zijn bewustzijnskracht gaat groeien, moet zijn discipline daarmee gelijke tred houden.

De bewustwordingsweg ziet er als volgt uit: de mens disciplineert eerst zijn persoonlijkheid, zijn lagere zelf. Wanneer deze gezuiverd is, zal het hogere zelf daarin fasegewijs mogen integreren. Dan wordt de discipline over de persoonlijkheid wederom van wezenlijk belang: het is immers niet de bedoeling dat de mens de scheppingskracht die in de loop van zijn bewustwordingsweg in hem vrijgegeven wordt (H 6), zal misbruiken.

Acceptatie

De eerste fase van de bewustwordingsweg hebben we nu aangeduid. Om deze fase tot een goed einde te kunnen brengen is het enorm belangrijk dat deze ingebed wordt in een warm en liefdevol gespreid bed, dat u voor uzelf kunt opmaken door de volledige acceptatie van uzelf, van uw weg en uw falen op deze weg en door de acceptatie van het leven zelf.

1. Zelfacceptatie

a. De acceptatie van de hogere aard

Zelfacceptatie vindt zijn basis in het accepteren van zowel het hogere als het lagere zelf. Het lijkt misschien heel makkelijk het hogere zelf te accepteren, maar in de praktijk blijkt dat toch voor heel veel mensen niet zo te zijn. Voor mensen met weinig zelfrespect is het bijvoorbeeld heel moeilijk te accepteren dat de Bron van Leven in hen ligt en dat hun bewustzijn deze Bron volledig zal omvatten wanneer zij hun bewustzijn tot groei zullen hebben gebracht.

Het is voor deze categorie mensen ook heel moeilijk te accepteren dat zij, qua bewustzijn, God gelijk mogen zijn. Heel veel mensen lopen al direct tegen dit axioma aan, dat nu eenmaal de weg van bewustwording bepaalt. Wij moeten onszelf echter het voordeel van de twijfel durven gunnen. Stel dat wij God gelijk kunnen zijn, dan is het toch de moeite waard om deze weg te verkennen?

Op deze weg geldt: 'zien is geloven!' Pas als u in de loop van de jaren uw bewustzijnsgroei waarneemt en de resultaten daarvan in uw leven ziet, dan pas kunt u gaan geloven dat er misschien wel waarheid in de frase schuilt dat u in uw hogere wezen de Bron van Leven gelijk bent. Dan kunt u misschien wel accepteren dat de Bron van Leven in u ligt en met liefde de geheimen van het leven in u wil ontsluiten, inclusief Zichzelf!

b. De acceptatie van de lagere aard

De acceptatie van onze lagere aard blijkt meestal veel makkelijker. We identificeren ons immers volledig met onze individualiteit, onze menselijke persoonlijkheid. Wel wordt het moeilijker om die speciale facetten van die persoonlijkheid te accepteren waar we steeds maar weer over struikelen en die ons behoorlijk weerstreven op onze weg. Vele hiervan hebben we in het vorige hoofdstuk al herkend en welke nog ontbreken, kunt u zelf ongetwijfeld wel toevoegen.

Besef wel dat de overwinning op onze lagere aard een weg van bewustwording inhoudt waar één leven te kort voor zou kunnen zijn. Wees dus niet ongeduldig, maar laat u ook niet ontmoedigen. U zult namelijk in de loop van de jaren met verbazing bemerken hoe hard uw bewustzijnsgroei eigenlijk gaat. Wanneer u uw lagere zelf al aardig onder controle begint te krijgen, kan verdere groei door de universele leiding direct op uw weg worden gebracht, zodat uw bewustwordingsweg steeds sneller en effectiever door u bewandeld kan worden.

2. De acceptatie van het falen op de weg
De bewustwordingsweg is een weg van vallen en opstaan om tot de groei van uw bewustzijn te komen. Het is een weg van onderscheid verwerven en van het disciplineren van het lagere zelf. Wanneer u dat begrepen hebt, dan zou u zich toch ongelooflijk geweld aandoen als u van uzelf nimmer zou mogen falen! U zou zich dan juist het middel ontnemen om tot groei te kunnen komen. Durf te falen, anders zult u nimmer de overwinning beleven!

De acceptatie van onze schaduwzijde
Een deel van het niet accepteren van het falen van de mens is gelegen in het feit dat de mens niet accepteren kan dat hij een schaduwkant in zich heeft. Hij zou deze het liefst willen uitbannen, maar aangezien dat niet mogelijk is, probeert hij deze kant van hemzelf nogal eens te verdringen.

Nadat de mens geschapen was, was één ding een feit: hij had de eenheid die zijn oorspronkelijke staat kenmerkte verlaten en hij zou vanaf dat moment leven in dualiteit. We zullen dus met onszelf in het reine moeten komen en moeten accepteren dat in

60

ons ook een duistere kant schuilt. Door deze duistere kant te accepteren en deze als een deel van onszelf te willen zien, is de helft van de strijd tegen onze schaduwkant reeds gestreden en dan hoeven wij deze niet meer te verdringen.

Probeer vooral liefde voor uzelf te voelen; voor u, met al uw gebreken. Pas wanneer u van uzelf kunt houden met die gebreken, kunt u ook van de ander houden met diens gebreken. U zult dan gaande op uw weg een steeds grotere verbondenheid voelen.

3. De acceptatie van het eigen leven
Doordat veel mensen de schaduwkant van het leven en van zichzelf niet kunnen accepteren, willen zij eigenlijk niet leven. Ze ontwijken de verantwoordelijkheid voor hun leven en ze proberen deze op alle mogelijke manieren te ontvluchten. In hoofdstuk twee hebben wij onder 'vluchtgedrag' een aantal ontsnappingsmechanismen beschreven die de mens heeft om zijn werkelijkheid in meer of in mindere mate te ontvluchten zonder zich daadwerkelijk uit de stof te hoeven terugtrekken.

Zich daadwerkelijk uit de stof terugtrekken, kan de mens gericht doen door het plegen van zelfmoord of indirect door een opname in een inrichting, het intreden in een klooster of het gaan wonen in een commune of een ashram[11].

Heimwee naar de oerstaat van het leven
De mens die niet leven wil, verlangt meestal hevig terug naar de oerstaat van het leven, de staat van Eenheid die hij verloren had toen hij in de dualiteit moest gaan leven. Soms tracht hij de verloren staat van Eenheid opnieuw in het leven te creëren door zich uit de hitte van het leven terug te trekken om zo een surrogaat staat van Eenheid te verwerven. Een voorbeeld hiervan is het zich volledig verliezen van de mens in yoga, meditatie en spiritualiteit. Zo'n mens probeert de verloren Eenheid op deze manier kunstmatig op te wekken. Hij zal deze Eenheid echter niet integreren in zijn persoonlijkheid, want dát wil hij juist niet: dan is zijn vluchtweg immers afgesneden!

Om tot een positieve acceptatie van het leven te kunnen komen en daarin een rechtvaardige hoeveelheid verantwoordelijkheid te kunnen dragen, is het noodzakelijk dat de mens tot acceptatie van zichzelf en van zijn leven komt, om uiteindelijk ook het doel van zijn leven te kunnen accepteren. Deze drievoudige acceptatie zal de rust brengen van waaruit de mens aan zichzelf kan gaan werken. Hij zal daardoor uiteindelijk een beter beeld van zijn leven en van hét leven krijgen.

II: HET PROCES VAN ACCEPTATIE

Op weg in acceptatie
Het is wel makkelijk gezegd: accepteer uzelf, uw falen en uw schaduwzijden, maar dat is niet zo eenvoudig gedaan. Waar begint u met uw proces van acceptatie?

1. Het doorbreken van de spiraal van uw emoties
De acceptatie van uw falen begint bij het aanvaarden van het feit dat u faalt. U faalt, nou en? Falen wij allen niet voortdurend? Tracht de spiraal van emoties hierin te doorbreken. Voed uzelf niet steeds met nieuwe emoties rond uw falen. Falen, nou en? Morgen is er weer een nieuwe dag! Dan kunt u zich met frisse moed opnieuw inzetten om te trachten op de juiste wijze te leven.

Ga dus niet onder in uw emoties, uw zelfbeklag of uw zelfverwijt, schep meer afstand tot deze gevoelens. Er komt dan in ieder geval meer rust in uzelf en met de energie die dan overblijft, kunt u misschien kijken naar de onderliggende reden waarom u faalde en kunt u de volgende keer, met vernieuwd inzicht, de situatie waarin u faalde te lijf gaan.

2. Het veilig voelen bij uzelf
De mens die moeite heeft zichzelf te accepteren zoekt meestal veiligheid bij een ander. Dat maakt hem afhankelijk, want wanneer deze persoon niet aanwezig is, voelt de mens zich wederom

stuurloos en onveilig. Toch kan de mens met een geringe zelfacceptatie zich wel degelijk veilig voelen bij zichzelf, maar dat vraagt van hem het willen aangaan van een ruimere levensvisie.

De veiligheid van de mens ligt in hem verankerd. Bij zijn creatie kreeg hij zijn hogere zelf mee, met daarin zijn ziel, zijn officiële behoeder. Daar kan hij zijn vragen neerleggen en leiding krijgen. De ziel is het anker in hem, zij kent immers het werkelijke doel van dit leven van de mens, maar ook zijn hogere doel over alle levens heen. Bovendien is de ziel altijd voor hem aanwezig, zij is dag en nacht bereikbaar. Ze zal hem daarom kunnen helpen de afhankelijkheid aan een ander te doorbreken.

Wanneer de mens op zijn ziel leert te vertrouwen, vangt de innerlijke leiding van de mens aan. In een wat later stadium van zijn ontwikkeling wordt de ziel bovendien gevoed met de wijsheid die in de rest van het hogere zelf is opgeslagen. Dit is de wijsheid die in zijn bewustzijn ligt en die veel ruimer is dan het dagelijkse bewustzijn van de persoonlijkheid en die zelfs de Bron van Leven kan omvatten!

Besef dus steeds dat er in uzelf een veel diepere bron van wijsheid aanwezig is, die betrouwbaar is, die uw veiligheid is en die er speciaal voor in het leven is geroepen om u op uw levensweg te begeleiden. Als u niet durft te vertrouwen op uw persoonlijkheid, probeer dan in ieder geval wel vrede te sluiten met uw hogere zelf en leer op zijn wijsheid te vertrouwen. Het veilig voelen kan in u ontstaan door het weten dat u veilig bent door de verbinding met uw diepere wezen dat u beschermt en het doel van uw leven kent.

Innerlijk geleid op weg
Elk mens kan door het hogere zelf geleid leven. Het is zijn universele bescherming, die hem met de Bron van Leven, die elk mens in zich heeft, verbindt. Elk mens is geroepen om deze

innerlijke mystieke verbinding te ontsluiten om uiteindelijk geleid te kunnen worden door de Bron van Leven zelf.

Het leven heeft zich in u vrijgegeven, maar het laat u geenszins aan uw lot over. Via de innerlijke mystieke verbinding kunt u weer in contact komen met de Bron van Leven, die alle mysteriën van uw leven kent. De Bron van Leven ligt als een universele raadsman in u te wachten tot u hem zult ontdekken en u uzelf waard zult vinden hem in u te mogen ontsluiten.

De persoonlijkheid van de mens zit veilig verankerd in de goddelijke persoonlijkheid, zijn hogere wezen, die hem beschermt en begeleidt. Wanneer de persoonlijkheid dit gaat beseffen, kan hij zich met een gerust hart veilig weten. De Bron van Leven waakt over hem, begeleidt hem en de mens kan deze Levensbron leren raadplegen voor elke hobbel op zijn weg. Veiliger kan een mens niet zijn!

III: DE ACCEPTATIE VAN DE GROEI VAN ONS BEWUSTZIJN

De groei van het bewustzijn
Om de Bron van Leven te kunnen gaan omvatten is het bewustzijn van de mens voortdurend aan groei onderhevig. Onze bewustzijnsgroei voltrok zich in het Vissentijdperk slechts langzaam, maar daarin is met het begin van het inzetten van het Aquariustijdperk een grote versnelling gekomen. Laten we eerst even terugblikken naar de evolutie van het Vissentijdperk.

De evolutie van het Vissentijdperk
In het Vissentijdperk werd de impuls van evolutie op de persoonlijkheid van de mens gericht, waardoor de groei van de persoonlijkheid in dit tijdperk centraal stond. De mens mocht zijn individualiteit ontdekken en hij mocht tevens een sterke breinmatige expansie ondergaan. Kortom, hij mocht zich tot een krachtig individu ontwikkelen, dat ook breinmatig sterk ontplooid was.

In het Vissentijdperk groeide ons bewustzijn heel langzaam door de groei die de persoonlijkheid via zijn processen om tot expansie te komen maakte. Sinds 1989 wordt door het inzetten van de spirituele evolutie[12] het bewustzijn van de mens echter direct met kracht gestimuleerd. Dit kan nu ook, want de mens heeft immers een sterke individualiteit opgebouwd om zijn bewustzijnsgroei in te kunnen opvangen.

De evolutie van het Aquariustijdperk
Nu het Aquariustijdperk inzet, wordt de impuls van evolutie niet meer op de persoonlijkheid gericht. De persoonlijkheid van de mens is nu krachtig genoeg geworden om de ontwikkeling van het bewustzijn te kunnen dragen. Zo kan de persoonlijkheid nu bevrucht worden met het ruimere inzicht en met de grotere liefde die het bewustzijn hem brengen zal.

In het Aquariustijdperk zal de spirituele evolutie doorzetten om het menselijk bewustzijn volledig tot ontwikkeling te brengen. De mens mag in dit tijdperk een kosmisch mens worden: de mens, die de Bron van Leven in zich ontsloten heeft en die zijn hogere, universele taken ten uitvoer zal brengen. Hij zal het evenwicht bewerkstelligen tussen zijn brein en zijn bewustzijn, zijn lagere en zijn hogere aard.

Kenmerkte het Vissentijdperk zich door een breinmatige en technologische evolutie, het Aquariustijdperk kenmerkt zich door de ontwikkeling van het bewustzijn.

Het Plan van de Evolutie
De evolutie van het Vissentijdperk en van het Aquariustijdperk zijn beide opgenomen in het Plan van de Evolutie. Het is dit Plan dat de bewustwording van de mens door de eeuwen heen heeft bepaald.

In de loop van de evolutie kunnen in de menselijke bewustwording twee fasen onderscheiden worden:

1. De onbewuste, dierlijke fase

In het begin van de evolutie was de mens nog totaal onbewust van de drijfveren die hem tot evolutie brachten. Hij mocht zijn dierlijke instincten overstijgen en zijn dierlijk bewustzijn loslaten om het menselijk bewustzijn aan te gaan. Daardoor werd de aapachtige die hij was een mens. Deze grote mutatie in zijn bewustzijn maakte een eind aan de onbewuste dierlijke fase in de evolutie van de mens.

2. De bewuste fase

De mens mocht nu een bewuste fase van evolutie ingaan, die hij in een aantal stappen zou mogen volbrengen om van de mens die hij zojuist geworden was een aquariusmens, een kosmisch mens, te kunnen worden, waarin in zijn menselijk bewustzijn ook het goddelijk bewustzijn ontsloten zou worden.

De stappen in het Plan van de Evolutie

a. In de aanloopfase tot zijn bewustwording mocht de mens zich eerst bewust worden dat hij een *mens* is. Hij ontving daartoe de eerste grote mutatie in zijn bewustzijn. Zo kon hij het verschil tussen de mens en het dier in hem onderscheiden.

b. Als de aardemens mocht hij zich bewust worden van zijn eigen individualiteit, zijn persoonlijkheid. Hij mocht deze vooral gedurende het Vissentijdperk tot een krachtig instrument uitbouwen.

c. Dit krachtig geworden instrument mocht tevens zijn brein sterk tot ontwikkeling brengen om de mysteriën van het leven die zich in hem zouden ontsluiten te kunnen ontrafelen en begrijpen.

d. Het bewustzijn van de mens zal zich over het Aquariustijdperk gaan ontwikkelen, waardoor er een sterke integratie van het bewustzijn in de persoonlijkheid met zijn reeds goed ontwikkeld brein zal ontstaan.

e. Om de ontplooiing van het bewustzijn van de mens volledig open te leggen werd er in de afgelopen jaren een tweede mutatie in het bewustzijn van de mens voltrokken. De kosmische mens werd volledig in hem ontsloten en de mens kreeg door deze mutatie in zijn menselijk bewustzijn nu ook het goddelijk bewustzijn ontsloten.

f. De kosmische mens zal in het Aquariustijdperk rijp gemaakt worden om vanuit zijn zich ontplooiend goddelijk bewustzijn de hogere aquariustaken op zich te nemen. De persoonlijkheid is daartoe krachtig genoeg geworden en de mens heeft zijn brein voldoende ontwikkeld om de hogere impulsen van zijn naar goddelijke hoogte groeiende bewustzijn te dragen, te begrijpen en te gebruiken.

g. De kosmische mens zal zijn hogere universele taken aanvaarden om deze vorm te geven vanuit zijn goddelijk bewustzijn. Hij zal op die manier meewerken in het Plan van de Evolutie om deze tot verwerkelijking te brengen. De mens zal een zeer wezenlijke bijdrage mogen leveren aan het verloop van de evolutie. Hij zal een werker in het Plan van de Evolutie zijn.

IV: DE ACCEPTATIE VAN DE NIEUWE WAPENS IN DE STRIJD

De Spiraal van Bewustwording

Wanneer we de lange weg van evolutie aanschouwen, dan is de strijd met het lagere zelf slechts een klein onderdeel van die weg. We moeten die strijd dan ook niet als al te dramatisch beschouwen. Onze onvolkomenheden lijken soms levensgroot, bijna onuitroeibaar. Op onze bewustwordingsreis in de Spiraal van Bewustwording krijgen we echter door de intrede van het Aquariustijdperk en door de mutatie die ons bewustzijn daardoor heeft ondergaan nieuwe pijlen op onze boog.

De Spiraal van Transformatie
In het Aquariustijdperk wordt er een nieuwe vorm van bewustwording aangereikt: de bewustwording door transformatie[13]. Het bewustzijn van de mens draagt sinds de tweede bewustzijnsmutatie het goddelijk bewustzijn in zich en door de aanwending hiervan zal de mens direct zijn karma en zijn onvolkomenheden kunnen transformeren en deze tot liefde en bewustzijn kunnen brengen.

Het is voor de acceptatie van uw weg belangrijk om te beseffen dat de mens de oude evolutiespiraal van bewustwording door lijden achter zich kan laten en de Spiraal van Transformatie kan binnengaan. In de omslag van Vissentijdperk naar Aquariustijdperk heeft de mens reeds de keuze. Hij kan er heel bewust voor kiezen zijn bewustwordingsweg op een veel modernere, liefdevollere, zachtere en vooral directere manier aan te gaan, waarin op een veel effectievere en minder pijnlijke wijze diepgaande veranderingen teweeggebracht kunnen worden.

De weg van transformatie, de weg van het omzetten van uw knelpunten op uw bewustwordingsweg door gebruik te maken van de nieuwe mogelijkheden die het goddelijk bewustzijn in u ontsluit, ligt voor u klaar. De keuze is aan u. U had destijds toch uw vrije wil gekregen? U kunt deze dan toch ook gebruiken om het oude los te durven laten en te kiezen om op een nieuwe wijze uw bewustwordingsweg aan te gaan of voort te zetten!

De Spiraal van Transmutatie
In de komende tijd zal een nog hogere vorm van het werken met uw goddelijk bewustzijn worden vrijgegeven, waardoor uw levensweg nog soepeler zal kunnen verlopen. De inspiratie over het werken in de Spiraal van Transmutatie wordt nu reeds aangereikt, maar deze is nu nog te onvolledig om er in het kader van dit boek al gefundeerd over te kunnen schrijven.

4. AAN HET WERK

Inleiding
In deel I van dit hoofdstuk wordt eerst een werkhypothese neergelegd, die opgebouwd is uit de bouwstenen die in de vorige hoofdstukken aangeleverd zijn en die nu kort maar krachtig samengevoegd worden. Er wordt hier een werkplan neergelegd waaraan de mens in het kader van mensheid en evolutie mag voldoen en waarbinnen hij stap voor stap opereert. Vervolgens worden in dit hoofdstuk de oude weg van bewustwording van het Vissentijdperk (deel II) en de nieuwe bewustwording van het Aquariustijdperk (deel III) beschreven, opdat u bewuster een keus kunt maken welke weg u wilt volgen. Tot slot wordt in deel IV getoond hoe er met transformatie aan uzelf, de medemens, het leven en aan de evolutie gewerkt kan worden.

I: HET PLAN VAN DE MENS

De goddelijke gelijkenis
In de bijbel mochten wij reeds lezen dat de mens geschapen werd naar Gods gelijkenis. Dat houdt in dat in het menselijk bewustzijn het goddelijk bewustzijn aanwezig is. Zoals u in hoofdstuk drie hebt gelezen is thans het goddelijk bewustzijn aan de mens ontsloten. Daarmee werd zijn wordingsproces als mens (zijn involutie) afgesloten en werd de Spiraal van Evolutie ingezet. In deze spiraal mag de mens zich bewust worden van zijn nieuwe, verdiepte mogelijkheden en van zijn hogere taken die hij met zijn goddelijk bewustzijn kan uitvoeren.

Het tot werkzaamheid brengen van het goddelijk bewustzijn
Het is het geboorterecht van de mens om te leven vanuit zijn vrije wil. Dientengevolge kan de mens ook slechts uit vrije wil kiezen voor de ontwikkeling van zijn menselijk bewustzijn tot

goddelijk bewustzijn. Doet hij dit, dan wordt hij geholpen zijn keuze te realiseren. Hij zal daarin innerlijk worden geleid via het hogere zelf. Daarnaast zal alle mogelijke stoffelijke hulp op zijn weg gebracht worden die voor die realisatie nodig is.

De weg van bewustwording is de weg waarop het menselijk bewustzijn zich zal ontplooien door het goddelijk bewustzijn stapje voor stapje in zich op te nemen, te integreren. Op deze wijze ontwikkelt het menselijk bewustzijn zich tot een allesomvattend goddelijk bewustzijn en wordt de mens een kosmisch mens: de mens, die de goddelijke oorsprong in hem tot realisatie heeft gebracht.

Het is logisch dat, wanneer de mens het goddelijk bewustzijn eenmaal omvat, hij in dit integratieproces ook weer kennis heeft gemaakt met de goddelijke wil die in dit bewustzijn ligt en dat hij deze eveneens tot integratie heeft moeten brengen in zijn lagere zelf. De vrije wil van de mens zal in dit proces een stap terug moeten doen om de goddelijke wil voorrang te verlenen en deze weer in ere te herstellen.

De mens als werkzame goddelijke wil
De mens mag zich eerst bewust worden van zijn vrije wil, hij mag daarmee zijn persoonlijkheid krachtig ontwikkelen. Vervolgens mag hij door zijn bewustzijnsgroei de vrije wil in harmonie leren brengen met de goddelijke wil en het integratieproces aangaan van de goddelijke wil in de vrije wil. Zo kan de mens een krachtig instrument worden van die goddelijke wil. Hij is dan een zelfdenkend, zelfhandelend, krachtig en bewust instrument, dat ingezet kan worden om het leven naar zijn bestemming te brengen.

Dit proces voltrekt zich in elk mens, het is namelijk onderdeel van het bewustwordingsproces van de mensheid. Het behoort tot het grote Plan van de mens en van de evolutie. De mens, als instrument, kan het Plan van de Mens en het Plan van de Evolutie uit vrije wil helpen uitvoeren. Dit geschiedt dan onder goddelijke leiding, die via het menselijk bewustzijn innerlijk wordt vrijgegeven.

De kosmische opdracht van de mens

In alle facetten van het leven voltrekt zich de evolutie. Het menselijk bewustzijn evolueert naar zijn volmaakte goddelijke staat, om daarmee het leven naar zijn volmaakte staat te helpen brengen. Hiermee is gelijk de werkopdracht, de kosmische opdracht, van de mens neergelegd:

Het is de kosmische opdracht van de mens alles wat leeft tot de volmaakte staat die neergelegd is in zijn blauwdruk te voeren.

Op weg naar de volmaakte staat

De weg van bewustwording

De mens bereikt de volmaakte goddelijke staat van bewustzijn niet zomaar. De weg daar naartoe wordt niet voor niets een *weg* van bewustwording genoemd. Deze mag de mens evenwel in etappes afleggen, waarbij we met de eerste etappe al in hoofdstuk drie kennis hebben mogen maken. De etappes zijn:

1. Het disciplineren van het lagere zelf
2. De overgave van de menselijke persoonlijkheid
3. Het opgaan van de menselijke in de goddelijke persoonlijkheid

Wanneer deze drie horden genomen zijn, komt u tot wat genoemd wordt het meesterschap over uw persoonlijkheid (H 6).

1. Het disciplineren van het lagere zelf

Het disciplineren van het lagere zelf, ook wel het overwinnen van het lagere zelf genoemd, kunt u alleen door eerst onderscheid te krijgen in de belemmeringen die zich in dat lagere zelf bevinden en die u van uw weg afhouden. Daarna kunt u de overheersing van deze facetten langzaam loslaten door uzelf in deze steeds verder te disciplineren.

Bij het overwinnen van de lagere aard moeten we ons goed realiseren dat het niet de bedoeling is het lagere zelf uit te bannen of te verdringen. Wij mogen het kind niet met het badwater weggooien. Het lagere zelf is een goed en noodzakelijk instrument dat in samenwerking met het hogere zelf (de goddelijke wil) een gezonde drijfveer tot uw handelen vormt. Het vormt uw daadkracht, die een zeer noodzakelijke basis is om u later in uw hogere taken staande te kunnen houden.

2. De overgave van de menselijke persoonlijkheid
Wanneer we na een lange weg van onderscheid uiteindelijk discipline over het lagere zelf hebben verworven, hebben we de drijfveren van ons handelen zuiver leren richten. Ze zijn dan niet meer op onszelf gericht, ze worden niet meer door de belangen van onze persoonlijkheid ingekleurd. In ons is dan de wens geboren om de hogere belangen van mens, maatschappij en leven te dienen.

De ik-gerichtheid van de persoonlijkheid wordt langzaam omgezet in een wij-gerichtheid: wij samen moeten het in de wereld redden om te kunnen overleven. Hogere belangen dan persoonlijke belangen worden in ons geboren en wanneer we hier maar sterk genoeg in komen te staan, komt de persoonlijkheid tot overgave aan de goddelijke persoonlijkheid. Dit is een vergelijkbaar proces als de overgave van onze vrije wil aan de goddelijke wil en de overgave van ons lagere zelf aan ons hogere zelf.

3. Het opgaan in de goddelijke persoonlijkheid
In de volgende stap versmelt de menselijke persoonlijkheid die tot overgave gekomen is aan de goddelijke persoonlijkheid met zijn hogere wezen. Hij komt ermee tot eenheid. In die versmelting wordt de kosmische mens geboren. De roep om vanuit een

wij-gerichtheid het leven te dienen, wordt dan omgezet in een daadwerkelijk willen werken voor de mensheid, het leven op aarde of de wereld. De hogere universele opdrachten die aan de kosmische mens zijn ontsloten worden gelijktijdig tot werkzaamheid geroepen.

De mens wordt geroepen om bij te gaan dragen in het Beheer van het Leven, het Beheer van de Evolutie en het Beheer van de Sferen (H 6). Hij zal de hogere belangen van het leven daadwerkelijk kunnen gaan dienen op het moment dat hij zijn persoonlijkheidsbelangen overstegen heeft.

De volmaakte staat van de mens
De mens die de hiervoor genoemde etappes van bewustwording achter zich heeft gelaten, heeft het meesterschap over zijn persoonlijkheid verworven. Hierdoor is hij opgegaan in de goddelijke persoonlijkheid en kan hij, levend in de materie, daarin zijn volmaakte staat van Zijn opnieuw beleven.

De volmaakte staat kan uitsluitend door de kosmische mens in contact met zijn goddelijk bewustzijn doorleefd worden. Het is de goddelijke persoonlijkheid die door middel van het goddelijk bewustzijn de volmaakte staat beleeft en deze via de menselijke persoonlijkheid door kan geven naar het leven.

De volmaakte staat van het leven
De mens mag met de doorleving van de volmaakte staat van Zijn het leven behulpzaam zijn om het naar zijn volmaakte staat toe te brengen. In het leven bestaan miljarden levensvormen en door de allesomvattendheid van het goddelijk bewustzijn is de mens in staat elke levensvorm met de uitstraling hiervan te stimuleren om de eigen volmaakte staat aan te nemen.

De mens is daarmee een instrument, een werker, geworden, die de in zijn goddelijk bewustzijn aanwezige scheppingskracht kan uitstralen naar elk niveau van het leven. Doordat het goddelijk bewustzijn van de mens allesomvattend is, stelt deze hem in staat de Jakobsladder van het Leven op te gaan (H 5). Hij kan dan op elke trede van deze ladder zijn scheppend vermogen radiëren om de daar aanwezige levensvormen te stimuleren het levensdoel dat in hun blauwdruk gelegen is (de volmaakte staat) aan te nemen.

Wanneer de mens de euvele moed heeft om zijn goddelijk bewustzijn te gebruiken, zal hij gaande op zijn groeiweg elke vezel van het leven tot ontwikkeling brengen. Het leven komt daardoor elke keer een stapje dichter bij zijn volmaakte staat. Het is de taak van de kosmische mens om, nadat hij zijn goddelijk bewustzijn tot werkzaamheid heeft gebracht, daarmee elk levend wezen te helpen zijn universele staat aan te nemen. Uiteindelijk zal de mens het leven thuisbrengen en het het Utopia, het einddoel van zijn evolutie, binnen helpen gaan.

Uit nood op weg in het Plan
Nu u weet waar de weg van bewustwording naartoe leidt, zou dat alleen al voor u een flinke stimulans kunnen zijn om op weg te gaan. Er is echter voor de mens een nog veel dringender reden om op weg te gaan. In zijn goddelijk bewustzijn ligt namelijk de scheppingskracht besloten, die de mens niet alleen tot de ultieme staat van bewustzijn brengt, maar die tevens het vermogen heeft om alle verdichting, al het karma dat hij tegenkomt, te neutraliseren. Dit betekent dat de scheppingskracht het vermogen heeft de lijdensweg van de mens op te heffen.

Gedreven door zijn lijden gaat de mens op weg om door middel van de scheppingskracht de lijdensweg van zichzelf, de hele mensheid en van het leven te doorbreken. Uit nood gaat de mens zoeken naar de volmaakte staat van zijn bewustzijn om de kracht die daar ligt te leren hanteren om het lijden om hem heen op te heffen. Noodgedwongen zal hij de diepere drijfveren van zijn handelen aan een onderzoek onderwerpen, om daarmee op weg te gaan naar een beter lot voor de mens, de mensheid en het leven!

De lijdensweg van de mens

De lijdensweg van de mens is voor hem de meest dwingende reden om zijn bewustwording aan te willen gaan. In het begin van de bewustwordingsweg is het daarom van groot belang het mechanisme van lijden te leren begrijpen. In het doorgronden van het basisprincipe van lijden ligt immers de sleutel tot het doorbreken daarvan. Het is dan ook uiterst belangrijk te zien hoe de mens zijn lijdensweg heeft veroorzaakt en hoe hij dit lijden opheffen kan. In dit hoofdstuk staat daarin eerst het Vissentijdperk centraal.

II: HET VISSENTIJDPERK: BEWUSTWORDING DOOR LIJDEN

De wetten van oorzaak en gevolg
De grondwet van de evolutie van het Vissentijdperk

In het Vissentijdperk was de drijfkracht van de evolutie op het derde chakra van de mens gericht, zijn zonnevlecht. Dit gebeurde enerzijds om zijn persoonlijkheid en zijn brein tot ontwikkeling te brengen en anderzijds om tot het disciplineren van die persoonlijkheid te komen. De mens werd opgevoed door middel van de wetten die verbonden zijn met de zonnevlecht: de wetten van oorzaak en gevolg. Deze wetten waren gebaseerd op het principe 'oog om oog, tand om tand': oorzaak brengt gevolg. Deze wetten werden ook wel de wetten van karma, de wetten van het lot, genoemd.

Het lot van de mens

Het lot van de mens is wel eens vergeleken met een roulette, waarin de mens absoluut geen mogelijkheden bezat om vat te krijgen op het rollen van het balletje dat zijn levensloop zou bepalen. De mens heeft zich dan ook heel lang slachtoffer van het lot gevoeld! De bestudering van het mysterie van het leven en het ontdekken daarin van de wetten van oorzaak en gevolg heeft echter aangetoond dat er wel degelijk rechtmatigheid en ook eerlijkheid ten grondslag ligt aan het mechanisme dat het lot van de mens bepaalt.

De grondwet van het lijden
Actie is reactie
Onder de wetten van oorzaak en gevolg is de oorzaak van het lijden het gevolg van iets wat even sterk, even onplezierig, was als zijn gevolg, het lijden. In de mechanica kennen wij een vergelijkbare grondwet: actie is reactie. In deze wet geldt de regel dat de actiekracht altijd even sterk is als de reactiekracht, ze kennen alleen een tegengestelde richting.

In het lijden van de mens geldt deze wet van de mechanica ook. Het raakvlak van de actie- en reactiekracht is daar de persoonlijkheid van de mens. Wanneer het resultaat een negatieve, onplezierige kracht naar de mens toe is (zijn lijden), dan moet deze veroorzaakt zijn door een even grote onplezierige kracht in precies de omgekeerde richting: uitgezonden dus door diezelfde mens, anders blijft het evenwicht niet bestaan.

Wanneer er veel lijden op een mens afkomt, moet er eens ook veel negativiteit, veel onzuiverheid, van hem zijn uitgegaan. 'Datgene wat van de mens uitgaat' noemen we het handelen van de mens. De mens moet dus door zijn handelen een negatief gerichte lading hebben uitgezonden, die hij als een negatief gerichte kracht, zijn lijden, weer naar hem teruggespiegeld krijgt.

Gedurende het Vissentijdperk gold voor de mens de basiswet van de mechanica in zijn vertaling: de wetten van oorzaak en gevolg.

De grondwet van de mechanica en het lot van de mens
Actie is reactie: wat de mens uitzendt, komt ook weer naar hem terug. Zendt hij positiviteit (licht) uit, dan komt er veel positiviteit in de vorm van liefde en geluk naar hem terug. Zendt hij echter negativiteit (duisternis) uit, dan komen er veel negatieve,

minder gunstige zaken op zijn weg in de vorm van pech, klachten en kwalen; kortom: in lijden!

In deze wet ligt besloten dat als de mens zijn handelen onder controle kan krijgen, hij ook de uitkomst van zijn handelen positief kan richten, waardoor er positiviteit in de vorm van liefde, gezondheid en geluk op zijn weg zal komen. Het handelen van de mens bepaalt zo heel direct of de mens gelukkig zal zijn.

Het handelen van de mens
Het handelen van de huidige mens wordt meestal slechts bepaald door de persoonlijkheid, al dan niet aangevuld met een sterke ik-gerichtheid vanuit het ego. Het wordt dan bepaald door het lagere zelf en dat leidt meestal tot negatief (onzuiver) handelen.

Het handelen van de mens kan echter ook gericht worden vanuit het hogere zelf, vanuit de goddelijke persoonlijkheid, waardoor er hogere impulsen worden uitgezonden met een sterkere positieve kracht die meer in overeenstemming zijn met de goddelijke bedoeling, de goddelijke wil. Dit handelen wordt positief (zuiver) handelen genoemd.

Het karma van de mens
Het karma van de mens is de som van de uitwerking van zijn handelen. Deze som kan positief zijn, dan wordt er over een positief karma gesproken. Wanneer de som echter negatief is, hebben we te maken met een negatief karma. Positief karma brengt geluk, negatief karma brengt lijden op onze weg.

Hebben wij onszelf onder controle, zijn wij meester over onze daden, dan zijn wij ook meester over ons karma en worden we daardoor meester over ons lot. Het is dus aan ons wat ons leven zal brengen. Door de strijd aan te binden met ons lagere zelf, door steeds meer vanuit het hogere zelf te gaan leven, zullen wij steeds meer positiviteit, geluk, harmonie en liefde verspreiden, wat uiteindelijk weer op onze weg zal worden gereflecteerd.

Het meester worden over het lot

De mens kan meester worden over zijn lot, als hij tenminste de grondwetten waarop het lot wordt gebouwd in acht wil nemen. Daarin is het goed te beseffen dat de basiswetten van de schepping erop gericht zijn het leven te behoeden en veilig thuis te brengen. De schepping wil de mens en het leven naar de in de blauwdruk gelegen oorspronkelijke bedoeling van de soort en van het individu brengen en dat willen de wetten van oorzaak en gevolg dientengevolge ook. Het meester worden over uw lot houdt daarom in dat u meesterschap over de persoonlijkheid en over het eigen leven verwerft. Dat wil zeggen dat u aan uw evolutiebestemming, die oorspronkelijk in uw blauwdruk werd vastgelegd, zult voldoen.

Om de gegevens die in uw blauwdruk liggen te kunnen bereiken, is het noodzakelijk dat u uw bewustwording ter hand neemt. Daarmee zult u steeds meer van uw hogere bewustzijn ontsluiten en steeds directer op de in uw blauwdruk geprojecteerde levensbestemming afkoersen om een beter lot tegemoet te kunnen gaan, overeenkomstig de goddelijke bedoeling van het leven. De weg van bewustwording zal u een totale realisatie van uw menszijn aanreiken: het meesterschap over uw lot, het meesterschap over uw persoonlijkheid en het meesterschap over uw leven!

Toeval

In het leven is níets toeval. Al wat u toevalt, wordt door de wetten van oorzaak en gevolg naar u geprojecteerd als het gevolg van het door u opgewekte karma. U bent dus geen slachtoffer van toevallige omstandigheden, u bent verantwoordelijk voor álle gebeurtenissen die op uw weg komen! Ze hebben u iets te vertellen, zij brengen u het werkmateriaal waarmee u uzelf kunt uitzuiveren. Wilt u meesterschap over uw persoonlijkheid, over

78

uw leven en over uw levenslot verwerven, dan zult u eerst het woord 'toeval' uit uw woordenboek moeten schrappen.

Karma en de verschillende niveaus van handelen
In het handelen van de mens onderscheiden we twee niveaus: het directe handelen en het indirecte handelen. Wil de mens zijn handelen onder controle krijgen, dan zal hij zich ook bewust moeten worden van vormen van handelen die hij niet zo direct als handelen ervaart.

1. Het directe handelen
Het directe handelen kan zijn:

a. Niet impulsief
Van het niet impulsieve directe handelen is de mens zich terdege bewust. Hij heeft er van tevoren goed over nagedacht. Hij heeft de plus- en de minpunten nauwkeurig tegen elkaar afgewogen om tot de besluitvorming te komen hoe hij in een bepaalde situatie zal handelen.

b. Wel impulsief
Naast het niet impulsieve handelen wordt de handelwijze gekend die in een impuls voltrokken wordt zonder dat de mens daar van te voren over na heeft kunnen nadenken. Hij neemt snel en impulsief het besluit tot handelen en voert dit besluit direct in dezelfde flits uit.

Het karma van het directe handelen
Wanneer we naar de karmische geladenheid kijken van beide vormen van direct handelen, dan is het goed te beseffen dat een weloverwogen niet impulsief handelen de mens karmisch gezien volledig aangerekend wordt. Dit handelen trekt een duidelijk en diep spoor in de Akasha van het Leven (het oergeheugen) en de wetten van oorzaak en gevolg worden geactiveerd door de gegevens die in de levensakasha zijn opgeslagen.

Het impulsieve directe handelen laat slechts vage sporen na in de akasha. Tenzij dit handelen voor de mens zo desastreus en traumatisch was dat de gevolgen hiervan nog heel lang natrillen. Dan worden de trillingen van dit handelen uiteindelijk toch heel diep in de akasha gegrift. We kunnen in het algemeen stellen dat het impulsieve snelle handelen weinig sporen in de akasha trekt. De som van dit impulsieve handelen laat echter wel een 'sfeer van dit handelen' in het levensfluïdum hangen die positief of negatief kan zijn en als zodanig wel opgetekend wordt in de akasha, zeker als zoiets zich regelmatig herhaalt.

Dit mechanisme is vergelijkbaar met wat in onze maatschappij gebeurt. Bij ons wordt een moord met voorbedachte rade strenger gestraft dan een 'crime passionnel', waarbij de mens verminderd toerekeningsvatbaar wordt geacht. Zoals u ziet is het leven een rechtvaardige rechter, die zijn recht spreekt en voltrekt door middel van de akasha. Het vonnis dat hij velt, brengt hij met de meest grote liefde en zorgvuldige begeleiding terug op de weg van de mens. Het wordt zeker niet als straf geprojecteerd, want de wetten van oorzaak en gevolg kennen geen wraak, zij kennen uitsluitend gerechtigheid en daarin benadrukken zij bovenal de liefde.

2. Het indirecte handelen
Het directe handelen vindt plaats in de materie, het indirecte handelen vindt echter plaats in de geest van de mens. Het indirecte handelen is voor de mens weliswaar minder zichtbaar, maar de uitwerking ervan is veel krachtiger dan dat van het directe handelen en mag zeker niet worden onderschat!

Er zijn twee vormen van indirect handelen:

a. Het denken
Denken is handelen op oorzakelijk niveau, het is de kiem van handelen. Denken heeft een grote kracht, want hoe fijner iets is, des te krachtiger wordt het. Kijk maar naar atoomenergie! Het is

daarom van groot belang onze gedachtenwereld onder controle te brengen![14]

Wanneer het denken blij en liefdevol is, zal het opbouwend zijn door de uitstraling van een groot positief geladen karma. Wanneer het echter somber is en u voortdurend zorgelijk aan het piekeren bent, dan rooft dat niet alleen enorm veel positieve energie van uzelf, die u voor meer constructieve doeleinden zou kunnen gebruiken, maar de sfeer van voortdurend piekeren laat ook zijn sporen na in de akasha en werkt dus negatief op u door.

Wanneer het denken ronduit haatdragend, destructief en vernietigend is, zal het ook een groot negatief karma voor u opbouwen. Dit haatdragende, destructieve denken werkt bovendien zeer negatief door op uw dagelijks handelen, waardoor u uiteindelijk nog meer negatief karma opbouwt.

Negatieve gedachten staan gelijk aan negatief handelen in de geest. Dit negatieve handelen in de geest is heel krachtig en wordt in de astrale sferen van het leven vormgegeven. Als zodanig is het ook nog zeer belastend voor het leven.

b. Meditatie
Een nog fijnere vorm van handelen in de geest verricht de mens door meditatie. Wanneer een meditatie universeel gericht wordt, dat wil zeggen gericht wordt op de Bron van Leven, zal zij een enorme positieve uitstraling hebben. Zij zal de mens en zijn omgeving heel direct opbouwen door de uitstraling van die scheppingskracht, die honderd procent zuiver positief karma is (zie H 4: III).

Wanneer de mens echter de kracht van zijn geest misbruikt en deze dienstbaar maakt aan zijn lagere zelf en richt op gewin en eigenbelang, dan valt deze vorm van het richten van de kracht van de geest onder het woord 'magie'.

Het misbruiken van de hogere geestkracht (de kracht van het bewustzijn) door deze te verdichten tot magie wekt een groot karma op. De mens die geestelijk zover gevorderd is dat hij magie bedrijven kan, heeft immers een staat van bewustzijn bereikt waarin hij zijn hoger bewustzijn kan hanteren. Hij kan dus ook voor hogere drijfveren in zijn handelen kiezen. Wanneer hij de kracht van zijn geest dan toch willens en wetens voor eigen doeleinden misbruikt, trekt dit een diep spoor in zijn akasha.

De aflossing van het karma
In het Vissentijdperk bestond er slechts één mogelijkheid om tot aflossing van karma te komen, namelijk dit gewoon uit te lijden. Dit had als doel dat de mens iets van dit lijden zou leren en zo de ervaring ervan zou omzetten in bewustzijn. Dit was toen nog de enige mogelijkheid om tot realisatie op de bewustwordingsweg te komen. Keer op keer mocht de mens zich vervolmaken door middel van de lessen die het leven hem bracht. Door ervaring werd hij wijs en kreeg hij meer begrip en respect voor zijn medemens en voor het leven.

Op aarde is dit proces nog volop aan de gang. Het Aquariustijdperk heeft in het leven weliswaar voorzichtig zijn intrede gemaakt, maar de dagelijkse realiteit voor de mens is nog steeds dat hij, als gevolg van een nu wat verouderd patroon van evolutie, onder de enorme restschuld van het door hem opgewekte karma zucht. Nu het Aquariustijdperk intreedt, wordt er bovendien een hogere frequentie van kosmische energie in het leven vrijgegeven, die de mens tot een versnelling van het aflossen van zijn karma voert. De restschuld van karma moet daardoor extra versneld afgelost worden en op wereldschaal wordt dat helaas omgezet in ellende, in lijden!

Het leven dat het sterrenteken Aquarius binnengaat, herkent het karma niet meer. Karma en lijden zijn niet meer in overeenstemming met de nieuwe aquariusblauwdruk. In het Aquariustijdperk zoeken de wetten van Eenheid en Liefde toegang tot het leven om liefde en bewustzijn in de mens en het leven te wekken. De wetten van Eenheid en Liefde drukken door hun verdiepte werkzame kracht de ballast van het Vissentijdperk, de restschuld van karma, geleidelijk uit het leven, waardoor de mens tot een versnelde aflossing wordt gebracht.

Om deze reden is door de schepping, gelijk met de eerste bekrachtigingen van de aquariusblauwdruk, een nieuwe vorm van bewustwording en een nieuwe vorm van aflossen van karma (het transformeren van het karma) vrijgegeven. Het leven, dat een liefdevolle rechter is, heeft ook in deze grote verandering voorzien en roept de mens op om op nieuwe wijze de aflossing van zijn enorme restschuld met meer genade aan te gaan (H 4: III).

Reïncarnatie
Wanneer ons de omvang van de levensopdracht en de daarbij behorende weg van bewustwording duidelijk begint te worden, kunnen we niet meer om het feit heen dat de mens om dit te volbrengen meer dan één keer zal moeten leven! Bovendien, wanneer we het leven als eenmalig zien, zou het, naast dat het dan behoorlijk op de persoonlijkheid gericht blijft, ook zeer onrechtvaardig zijn. De ene mens heeft immers een veel moeilijker leven dan de ander.

In de paragraaf over de wetten van oorzaak en gevolg, in het gedeelte over het lot van de mens, staat dat het leven eerlijkheid als basis kent. Wanneer we de levens van diverse mensen vergelijken, waar is dan die eerlijkheid? Waar is dan de liefde van het leven voor de mens gebleven? Het leven kan alleen eerlijk zijn als we van de gedachte uitgaan dat de mens meer dan één keer leeft. We gaan dan ook van het axioma uit dat de mens bij zijn eerste leven met een niet door karma beladen blazoen uit de Bron van Leven is vertrokken.

Elk mens ging onbesmet door karma op weg zijn leven in. Het was vervolgens aan hem om zelf iets van dit leven te maken. Het eigen handelen, gekoppeld aan de vrije wil, werd daarin bepalend. Wanneer wij dan tevens beseffen dat de mens onderhevig is aan de wetten van oorzaak en gevolg en hij daardoor het resultaat van zijn handelen teruggespiegeld krijgt, dan ziet u hier de eerlijkheid en de rechtvaardigheid in het leven weergegeven!

Uitgaande van deze gedachtengang hebben veel mensen het idee geaccepteerd dat zij meerdere keren leven en hebben zij uiteindelijk vrede gekregen met de werking van de wetten van oorzaak en gevolg. Op deze wijze hebben zij het geloof in de eerlijkheid en in de liefde van het leven kunnen herstellen. Zij begrepen dat zij zelf verantwoordelijk zijn voor het eigen levenslot.

Het leven na de dood

Wanneer wij meerdere keren leven, dan impliceert dit ook dat er een leven na de dood moet zijn. In de bijbel wordt ons het hiernamaals genoemd, ook al wordt er weinig informatie over vrijgegeven. Het is ook hier niet de plaats om heel diep op alle details van het leven na de dood in te gaan[15], maar het is wel wezenlijk hier de vraag beantwoord te krijgen wat er met de mens en zijn karma na het stoffelijk leven gebeurt.

Wanneer wij doodgaan rest ons een positief of een negatief karma. Wij nemen dit saldo met ons mee en het blijft met ons verbonden. Ons stoffelijk lichaam leggen wij door de dood af, maar onze geestelijke ballast, de restschuld van ons karma, die geregistreerd werd in de akasha van het leven, torsen wij over de grens van leven en dood met ons mee, ons geestelijk leven tegemoet.

Na een rustperiode in de sferen worden wij geacht ons leven te evalueren. Wij worden geholpen zelf de balans op te maken en afhankelijk van onze bevindingen besluiten wij, als we vinden dat we iets goed te maken hebben, om terug te gaan naar de aarde om dit karma af te gaan lossen. Met het begrip dat gegroeid is door het opmaken van de balans zullen we meer positiviteit en liefde om ons heen kunnen verspreiden. Hierdoor zullen we te zijner tijd met een beter batig saldo aan gene zijde kunnen komen.

Reïncarnatie in het Vissentijdperk
De mens maakt zo een cyclus van levens, kortom: hij reïncarneert. Reïncarnatie kent het doel ons tijd en ruimte te geven de opwaartse evolutie van ons bewustzijn te kunnen maken. Dit geschiedt in volledige harmonie met onze vrije wil. Wij kiezen, als we reeds bewust genoeg zijn, zelf de omstandigheden uit waarin het beste de lessen kunnen worden opgedaan die ons lagere zelf nodig heeft om de nu door ons beter begrepen blokkades te overwinnen.

In het Vissentijdperk reïncarneerde de mens met het doel zijn negatieve karma af te lossen, opdat de mens uitsluitend nog positiviteit om zich heen zou verspreiden en zijn lagere aard zou overwinnen. Op deze wijze zou hij uiteindelijk het juk van karma kunnen doorbreken en zou hij niet meer hoeven te incarneren met het doel om karma af te lossen. Hij kon dan tot constructievere taken in het leven geroepen worden.

Het Rad van Wedergeboorte
Het mechanisme van incarnatie

1. Het Vissentijdperk
Het Rad van Wedergeboorte, het mechanisme dat de incarnatie van de mens bestuurt, werd in het Vissentijdperk aangedreven door het Wiel van Karma. Het Rad van Wedergeboorte was daardoor volledig karmisch bepaald en werd karmisch aangestuurd; het stoelde op de wetten van oorzaak en gevolg. In deze zetting koos de mens te incarneren om zijn karma af te lossen en zijn lagere zelf steeds verder te overwinnen.

2. Het Aquariustijdperk

Voor het Aquariustijdperk is een ander incarnatiemechanisme vrijgegeven, dat andere criteria aanlegt voor de incarnatie van de mens. De aquariusblauwdruk is niet meer op de wetten van oorzaak en gevolg gebaseerd, maar op de wetten van Eenheid en Liefde. Het Rad van Wedergeboorte wordt dientengevolge aangedreven door het Wiel van Eenheid en Liefde en niet meer door het Wiel van Karma.

3. De overgangsfase

In de overgangsfase tussen het Vissentijdperk en het Aquariustijdperk is het Wiel van Eenheid en Liefde reeds werkzaam geworden. Het Wiel van Karma zal daardoor in de komende twee- tot driehonderd jaar langzaam mogen gaan desintegreren. Dit betekent dat we nu nog de keuze hebben om te incarneren volgens de wetten van oorzaak en gevolg of volgens de wetten van Eenheid en Liefde. We moeten echter wel beseffen dat door de keuze op welke manier wij incarneren direct de zetting van ons Plan van Leven en de zetting van ons lot bepaald wordt.

De keuze die u maakt hoe u wilt incarneren zal onder de vissentijdperkwetten een veel zwaarder, karmisch belast leven brengen, dat veel lijden met zich meebrengt. Onder de aquariuswetten zal er een veel directere manier van bewustwording en transformatie van het karma op uw weg gebracht worden, waardoor uw leven veel minder door lijden zal worden bepaald. De mens zal in de nieuwe zetting in zijn hogere verantwoordelijkheden worden geplaatst en tot zijn universele taken worden geroepen[16].

Hogere verantwoordelijkheden voor de mens

In het Vissentijdperk konden we slechts in de hand leren houden hoe ons levenslot eruit zou gaan zien, maar in deze overgangsfase mogen we medebepalend zijn hoe en onder welke wetten wij wensen te incarneren. De mens krijgt een steeds groter wordende verantwoordelijkheid te dragen: hij wordt zelfwerkzaam wat betreft tijd en plaats van incarnatie, het mechanisme waarlangs hij incarneert en hij draagt zelf de verantwoordelijkheid over de zetting van zijn levensplan en van zijn levenslot. De kosmische mens krijgt daarnaast nog zijn universele taken op zijn schouders gelegd.

In het Aquariustijdperk krijgt de mens een grote verantwoordelijkheid ten aanzien van het eigen leven. Hij kan deze niet meer op de Goddelijkheid afschuiven, want de Schepper legt deze verantwoordelijkheid nu juist in zíjn hand! De mens moet deze leren hanteren, omdat hem meer complexe taken wachten. Taken, waarin hij bijvoorbeeld verantwoordelijkheid over het leven met al zijn levensvormen en over de evolutie zal mogen leren dragen.

III. HET AQUARIUSTIJDPERK:
DE TRANSFORMATIE VAN HET LIJDEN

De wetten van Eenheid en Liefde
De grondwet van de evolutie van de latere tijdperken
In het Aquariustijdperk wordt de evolutie-impuls vanuit het goddelijk hartcentrum op het hart van de mens gericht. Daardoor wordt zijn bewustzijn (zijn geest) tot evolutie gebracht en mag hij de Universele Liefde in zijn wezen leren dragen om deze te hanteren in zijn leven en in het leven om hem heen. Door de evolutie-impuls vanuit het hart worden de wetten van Eenheid en Liefde tot leven gewekt en wordt de mens in een volledig nieuwe levenszetting geplaatst.

In het Vissentijdperk kon de mens 'slechts' meesterschap verwerven over zijn persoonlijkheid en daardoor over zijn leven en zijn lot. Wanneer de mens nu zijn bewustwordingsweg aangaat kan zijn bewustzijn nog verder doorgroeien en wordt op een gegeven moment automatisch de kosmische mens in hem geopend, die de universele taken van de mens kan dragen en uitvoeren, waardoor hij bijdragen kan in het Beheer van het Leven, het Beheer van de Evolutie en aan het Beheer van de Sferen (H 6).

Van aardemens naar kosmisch mens

Sinds zijn grote bewustzijnsmutatie kan de mens van een aardemens met een zevenvoudig bewustzijn een kosmisch mens met een dertienvoudig bewustzijn worden (zie Appendix I). Om dit in elk mens te laten verwezenlijken is in 1989 een spirituele evolutie ingezet die het bewustzijn van de mens wekt om tot groei te komen. Op de bewustwordingsweg mag de mens nu eerst zijn zevenvoudig bewustzijn uit laten groeien totdat het dertienvoudig geworden is. Daarna mag hij het goddelijk bewustzijn daarin integreren, om vervolgens dit dertienvoudig goddelijk bewustzijn te leren hanteren.

Op deze wijze kan de mens qua bewustzijn God gelijk worden en de Schepper zal de verantwoordelijkheden in de schepping met hem delen door gebruik te maken van zijn tot ontwikkeling gebrachte (goddelijk) bewustzijn. De kosmische bedoeling van de mens, zijn kosmische opdracht, wordt dan geïnitieerd en hij zal werkzaam worden in de hierboven genoemde universele taken.

Het hogere zelf van de mens zal zich in diezelfde tijd zodanig ontwikkeld hebben dat het de universele informatie die de mens nodig heeft om dit alles te realiseren aan hem kan doorsluizen. Door de stroom van inspiratie die zo naar hem toekomt zal hij zijn levensbedoeling beter begrijpen en wordt hij tot grotere werkzaamheid in het leven aangezet. Zelfwerkzaamheid kenmerkt de mens in het Aquariustijdperk; op kleine schaal voor het individu, op wereldschaal voor het leven, de evolutie en de schepping.

Het begin van het Aquariustijdperk
Afbraak en opbouw

Het inzetten van het Aquariustijdperk heeft een rumoerige tijd gebracht, die de opstanding van de mens, de aarde en van het leven bewerkstelligt. Alles wat niet strookt met de bedoeling van de aquariusblauwdruk - wat dus nog tot de vissentijdperkblauwdruk behoort - wordt afgebroken. De kracht van de afbraak van het oude is direct met de inzet van de spirituele evolutie in 1989 gezaaid en die afbraak zien we om ons heen voltrekken. Door het inzetten van de bekrachtiging van de aquariusblauwdruk werd in 1995 ook de kracht van de opbouw van het nieuwe geïnitieerd. Afbraak én opbouw zijn de draagpalen waarop de evolutiespiraal van Aquarius wordt gefundeerd.

De nieuwe evolutiespiraal staat in het eerste deel van het Aquariustijdperk in het teken van genezing, het genezing brengen voor het leven. Zoals er tijdens het genezingsproces van een kwaal koorts kan ontstaan, trekt er als het ware ook 'een koorts' over het leven. Het oude van het Vissentijdperk - dat de kwaal in de hand heeft gewerkt - wordt afgebroken en het nieuwe kan daardoor ontstaan. Het brengt ons een gezonde maatschappij naar de hogere maatstaven van de aquariusevolutie.

De aquariuszuivering
De hiervoor genoemde eerste periode van het Aquariustijdperk, die ongeveer twee- tot driehonderd jaar zal duren, wordt de aquariuszuivering genoemd. Het eerste grote besluit dat de Schepper daarin nam was de wetten van oorzaak en gevolg uit de blauwdruk los te laten om deze te overstijgen. Het gevolg daarvan is dat de restschuld van karma die de mens en het leven met zich meetorsen volledig afgeworpen en teruggezonden wordt.

Dit zou de mens een enorme lijdensweg kunnen bezorgen, ware het niet dat de scheppingskracht, die nu door het hart van de Schepping in de mens wordt vrijgegeven, hem te hulp schiet. De scheppingskracht kan door middel van het hogere zelf effectief worden aangewend om de karmische restschuld van de mens en het leven te vereffenen. Deze heeft namelijk het vermogen karma, en daarmee lijden, op te heffen, te neutraliseren.

Dientengevolge staat in de aquariusblauwdruk, naast het feit dat karma en de wetten van oorzaak en gevolg niet meer tot de fundamentele drijfkracht van de evolutie behoren, met grote letters opgetekend:

LIJDEN HOEFT NIET MEER!

DE TRANSFORMATIE VAN HET LIJDEN

Het mechanisme van transformeren

Nu het karma zich uitzuivert, en gelijktijdig in de mens het goddelijk bewustzijn wordt opengelegd, ontdekt hij dat dit goddelijk bewustzijn hem niet alleen de scheppingskracht aanreikt, maar dat hij deze ook kan aanwenden voor het neutraliseren (transformeren) van zijn karma en van zijn daarbij behorende lijdensweg.

Transformeren doet de mens door middel van de via zijn hogere zelf opgeroepen scheppingskracht. Hij transformeert wanneer hij deze positief gerichte kracht op zijn negatief geladen karma richt. Door zijn karma met de scheppingskracht te verbinden, zal het niet meer kunnen blijven bestaan. De positieve geladenheid van de scheppingskracht lost de negatieve lading van het karma direct op!

Transformeren (transformatie) is het neutraliseren van karma door middel van de scheppingskracht die in de mens aanwezig is en die door toedoen van diezelfde mens met dit karma wordt verbonden.

Bewustwording door transformatie, een verworvenheid

In de aquariusblauwdruk bevindt zich een basiswet dat de mens niet meer door lijden bewust hoeft te worden, maar dat hij dit

90

door transformatie mag doen. Dat dit een basiswet is, betekent dat dit een zekere garantie van het leven is voor dit tijdperk. Basiswetten geven zekerheden in het leven weer. Het is derhalve voor de mens een zekerheid dat transformatie, het transformeren van zijn karma, voor hem is weggelegd, waardoor zijn bewustwordingsweg zich aanzienlijk versoepelen en versnellen zal.

Transformatie bestaat, het is een basisgarantie van het leven. De mens is bovendien aangewezen het instrument van transformatie te zijn. Dit alles ligt besloten in de wetgeving van het leven voor het Aquariustijdperk. Als u de weg van transformatie aan wilt gaan, kunt u dus direct afrekenen met uw twijfel of u wel transformeren kunt. De universele wetgeving zal het vermogen tot transformeren te allen tijde ook aan u ontsluiten!

Elk mens kan van zijn karmische ballast af. De mens hoeft niet meer te lijden, als hij tenminste de innerlijke keuze maakt om op een nieuwe wijze zijn bewustwordingsprocessen aan te gaan. Wederom is de vrije wil van de mens hierin bepalend. De mens moet er zelf voor kiezen te gaan transformeren. Wanneer hij niet meer lijden wil, dan hoeft hij dat ook niet meer!

In de aquariusblauwdruk liggen de wetten van Eenheid en Liefde verankerd, waardoor elk mens van een goede toekomst verzekerd is. Het lijkt slechts een kwestie van tijd voordat dit door de mensheid ontdekt zal zijn. Toch is het belangrijk om bewust te worden van enkele belemmerende factoren op deze weg, zodat hierop ingespeeld kan worden. Wat weerhoudt de mens zoal om de weg van bewustwording door transformatie aan te gaan?

Het doorbreken van oude patronen

a. Het onbewust doorgaan op de levensweg
Heel veel mensen zullen niet met transformatie in aanraking komen, omdat zij nog niet openstaan voor de weg van bewustwording. Zij kunnen zich dan natuurlijk ook niet bewust worden

van de nieuwe weg van bewustwording door transformatie. De allereerste stap op deze weg moet immers nog worden gezet!

b. De verslaving aan lijden
Een groot percentage van de mensen die wél hun bewustwordingsweg zijn aangegaan, is nog heel erg gebonden aan hun oude patroon van lijden. Het geeft hen een gevoel van herkenning en van veiligheid en daardoor zijn zij er als het ware aan verslaafd.

Een percentage van deze mensen is bovendien nog teveel gehecht aan de aandacht die het lijden hen brengt. Zij bevredigen hun bevestigingsdrang hierdoor en het levert hen een vorm van prestige op. Het lijden krijgt bovendien vaak de schuld van het feit dat de mens een aantal essentiële verantwoordelijkheden in zijn leven niet aan durft te gaan. Hij gebruikt zijn lijden maar al te graag als excuus.

Lijden als verslavingspatroon, als middel om aandacht te krijgen, eer en aanzien te verwerven of om verantwoordelijkheid te kunnen ontwijken, er zijn heel wat vluchtwegen van de menselijke geest in de lijdensspiraal ingebed!

Het vraagt van een mens enorm veel kracht en flexibiliteit om het patroon van verslaving aan lijden te doorbreken. Het vraagt hem om zich aan zijn eigen bretels omhoog te trekken om tot het noodzakelijke inzicht te komen zichzelf uit deze vicieuze cirkel te halen. In de praktijk blijkt gelukkig dat zijn medemens hem vaak bewust maakt van deze verslaving. Zo wordt hij ertoe gebracht de strijd hiermee aan te binden, om zijn bewustwordingsweg op een meer liefdevolle en efficiëntere wijze voort te kunnen zetten.

c. Het verzet tegen vernieuwing
Er bestaat een categorie mensen die wars van vernieuwing is en lange tijd argwaan tegen elke vernieuwing blijft koesteren. Toen zij destijds aan hun bewustwordingsweg begonnen, waren zij ook al argwanend en terughoudend. Bij deze mensen zal het nieuwe

zich eerst bewezen moeten hebben voordat het door hen geaccepteerd wordt.

Op weg in het nieuwe patroon

Wanneer de mens de belemmerende factoren om zijn oude bewustwordingspatroon los te laten doorbroken heeft en hij uiteindelijk besluit de weg van transformatie in te slaan, zal hij nog enige belemmeringen in zichzelf kunnen ontmoeten:

1. Het niet accepteren van de uitkomst van de transformatie

Een voorwaarde voor het goed ontvangen van de uitkomst van een transformatie is dat er genoeg liefde voor zichzelf in de mens aanwezig is. Als dat niet zo is zal hij namelijk het resultaat van een voor hem gegeven transformatie niet toe kunnen laten. Wanneer er (onbewust) geen zelfacceptatie aanwezig is, of nog sterker: wanneer de mens zichzelf haat, verwerpt hij de transformatie uit een gevoel er niet goed genoeg voor te zijn. Hij straft zichzelf dan door het resultaat van de transformatie te weigeren.

Door dit gedragspatroon houdt de mens zijn lijdensweg vast, terwijl het resultaat van de transformatie in zijn aura blijft wachten totdat hij het embargo dat hij hiertegen heeft opgeworpen zelf opheft. De basisgedachte waarop een transformatie aanslaat is: ik ben het waard! Ik ben het waard om het resultaat van de transformatie te mogen ontvangen! Dan pas kan een mens het resultaat van de transformatie toelaten.

2. De angst voor manipulatie en magie

Sommige mensen die met transformatie beginnen te werken zijn bang dat zij vanuit hun lagere zelf de scheppingskracht zouden kunnen misbruiken en zich daardoor schuldig zouden maken aan de manipulatie van die scheppingskracht of, nog erger, aan magie. In hen leeft de angst dat zij door te transformeren het leven behoorlijk onrecht zouden kunnen aandoen.

Het is goed te beseffen dat transformatie uitsluitend via het hogere zelf werkt. Vanuit uw persoonlijkheid kunt u weliswaar aanspraak op de transformatie van een bepaald karma maken, maar u kunt deze transformatie pas realiseren wanneer u via uw hogere zelf een beroep doet op de scheppingskracht die in de Bron van Leven in de mens ligt. De wil van de Bron van Leven bepaalt, in samenspraak met de blauwdruk van de mens waarvoor getransformeerd wordt, of de transformatie voor deze mens wenselijk is en hoe die zich dan zal voltrekken.

Wanneer uw motivatie om te transformeren zuiver is zal de poort tot de Bron opengaan. Vervolgens zal de scheppingskracht uitsluitend worden gehanteerd als de transformatie in overeenstemming is met de blauwdruk van de mens waarvoor om transformatie gevraagd werd. Wanneer uw motivatie echter niet zuiver is, wordt u direct de toegang tot de Bron geweigerd.

Tijdens een transformatie maakt u gebruik van de scheppingskracht van de Bron en op dat niveau zal uw vrije wil niet werken, daar is slechts de hogere goddelijke wil bepalend. Als u transformeert, roept u uit vrije wil om de goddelijke wil, om deze in uw karma of in die van de ander bepalend te laten zijn. Angst voor manipulatie of voor magie is volkomen ongegrond, omdat de Bron van Leven die niet bekrachtigen zal en u hiertegen zelfs beschermt door u, indien nodig, de toegang tot de Bron te weigeren.

Werken in het Plan van de Schepping

In het Plan van de Mens en in het Plan van het Leven ligt transformatie als redmiddel voor de mens en het leven in een basiswet vastgelegd. Zij is namelijk het medicijn dat direct de goddelijke wil verlevendigt en deze aan het werk zet binnen het leven. Wanneer we het leven in de aquariuszuivering wat nader beschouwen, zullen we al heel snel tot de conclusie komen dat dit medicijn broodnodig is!

Transformatie is het redmiddel dat het Plan van de Schepping aan de mens vrijgeeft om de grote zuivering van de restschuld van het wereldkarma mee op te vangen en zichzelf en het leven hiervan op veilige wijze te bevrijden.

IV: HET WERKEN MET TRANSFORMATIE

Tot nu toe werd er steeds over het werken met transformatie gesproken, maar er werd nog geen tip van de sluier opgelicht hoe het transformeren in de praktijk uitgevoerd kan worden. Er werd wel reeds uitgelegd dat de greep die het lagere zelf op ons heeft overstegen moet worden, om via het hogere zelf bij de innerlijke Bron van Leven aan te komen om daar het proces aan het werk te kunnen zetten. Maar hoe gaat dát dan in zijn werk?

Hulpmiddelen voor transformatie

1. Meditatie
De weg naar binnen, de weg om via ons hogere zelf tot de Bron van Leven te komen, wordt bevorderd door meditatie. Door te mediteren kloppen we bij ons hogere zelf aan, dat ons dan helpt om stap voor stap ons hogere wezen te ontsluiten, waardoor wij uiteindelijk bij de Bron van Leven zullen aankloppen. Zo vangt de reis aan ons hogere bewustzijn in, dat zich dan stap voor stap aan ons zal ontsluiten.

Door meditatie neemt ons dagelijks bewustzijn als het ware een bad in ons hogere bewustzijn. Het lagere zelf komt daardoor tot ontwikkeling en ons dagelijks bewustzijn zal weer wat meer aan het goddelijk bewustzijn gelijk worden. Meditatie ontsluit de weg naar binnen en legt de weg naar onze goddelijke persoonlijkheid open, waar we de Bron van Leven in onszelf kunnen ontmoeten. Deze zal dan zijn heilzame werking in ons vrijgeven in de vorm van inzicht, inspiratie en scheppingskracht. Die scheppingskracht kunt u dan aanwenden om te transformeren.

N.B. De mens die nog weinig ervaring heeft met mediteren kan de algemene wenken voor meditatie bestuderen die in Appendix II beschreven zijn. In deze appendix is tevens nog wat aanvullende informatie over meditatie en transformatie opgenomen.

2. Visualisatie
Visualisatie is een veel gebruikt hulpmiddel om tot meditatie en tot transformatie te komen.

Visualisatie is het naar binnen richten van de menselijke geest door middel van een innerlijke fixatie op een symbool met het doel te gaan mediteren.

Het is begrijpelijk dat niet elk willekeurig symbool geschikt is voor meditatie. Het door u gevisualiseerde beeld zal zeker een effect op u hebben, maar het zal u niet altijd tot een positieve meditatie brengen. Wil het symbool het gewenste effect kunnen sorteren, dan moet er een grote rust en een positieve, opbouwende kracht vanuit gaan.

3. Universele symbolen voor visualisatie en transformatie
In de laatste jaren zijn er vanuit de Universele Wereldregering een aantal universele symbolen vrijgegeven, waarmee de mens in alle vertrouwen visualiseren en transformeren kan. Een lijst hiervan is opgenomen in Appendix III. De in deze appendix genoemde universele symbolen roepen elk één van de dertien scheppende krachten op die in de schepping werkzaam zijn. Zij zijn de dertien transformaties in de schepping.

Door met deze universele symbolen te visualiseren betreedt u de directe snelweg naar de Bron van Leven en wordt u in uw meditatie heel direct op de Bron gericht. Zij vertegenwoordigen immers elk één van de dertien scheppingskrachten die door de Bron in u verlevendigd worden. Zij kunnen dan ook als de dertien sleutels (inductors) tot de Bron worden beschouwd. Zij openen de Bron voor u en zetten zijn scheppende krachten aan het werk voor de ontwikkeling van uw bewustzijn en voor transformatie.

Op weg in transformatie
U start uw meditatie af door de visualisatie van een universeel symbool, waardoor zij universeel wordt gericht. Wanneer u het gevoel heeft dat dit symbool u op de plaats van bestemming heeft gebracht en u de daarbij behorende scheppingskracht in uw hart voelt opbouwen, laat u het gevisualiseerde beeld los (meestal gebeurt dit spontaan) en blijft u in stilte op dat niveau. Zo bent u in uw meditatie terechtgekomen op het niveau waar u behoort te zijn: bij de Bron van Leven en kunt u deze verlevendigen.

U kunt nu op twee manieren verder gaan:

1. De stiltemeditatie
U kunt uzelf in een stiltemeditatie laten glijden, waardoor diepere inzichten of inspiratie naar u toe kunnen komen. Deze zullen dan universeel zijn, want u hebt uw meditatie immers universeel gericht. De scheppende kracht die u visualiseerde door het gekozen symbool kan dan ook rustig in u doorwerken om uw bewustzijn op te tillen naar dit scheppende niveau van de Bron.

2. De transformatie
Door de in u opgebouwde scheppingskracht via uw hart te richten op een door u bepaald niveau van karma, transformeert u dit. Voordat dit proces in details beschreven kan worden, is het goed dat u er eerst van bewust wordt dat alles in de schepping dertienvoudig is. Zoals u reeds hebt gezien, wordt de kracht van transformatie u op dertien niveaus aangereikt. Er bestaan echter ook dertien niveaus van karma. De schepping geeft haar dertien scheppende krachten, haar dertien transformaties, vrij aan de mens ter transformatie van de dertien niveaus van karma. Deze niveaus zijn onderverdeeld in het karma van het individuele leven, het karma van het leven en van de evolutie (schepping).

97

Het hart als genezend instrument
Transformatie geschiedt via het hogere zelf van de mens. Het hogere zelf is via het hartchakra (zie Appendix IV) verbonden met het hart. Door een door ons gewenst universeel symbool te visualiseren verhogen we de frequentie van ons hartchakra. Het gaat dan meetrillen op het niveau van de scheppingskracht waarmee het verbonden wordt. Wanneer we, door ons zo innerlijk te richten, op het punt gekomen zijn om deze kracht te gaan uitstralen naar een door ons bepaald probleem, klapt ons hartchakra zich automatisch om, waardoor de door ons opgeroepen scheppingskracht gericht naar dit probleem wordt uitgestraald.

Dit is hetzelfde mechanisme dat een spiritueel genezer ook in zichzelf waarneemt. Door zijn spirituele afstemming raakt hij zijn cliënt via zijn omgeklapte hartchakra (en eventueel met behulp van zijn handen) aan met een hogere energiefrequentie dan die deze mens zelf kent. Daardoor is heel vaak een genezing mogelijk. Dit zal zeker het geval zijn als de spirituele genezer, voordat hij aan het werk gaat, zijn energieniveau eerst verhoogt door een universele symbool te visualiseren.

Wanneer wij transformeren voltrekt zich eenzelfde proces: wij stralen de zeer hoge genezingbrengende scheppingsenergie via ons hartchakra uit. Een spiritueel genezer blijft echter, zelfs al werkt hij vanuit de scheppingskracht, beperkt tot het werken voor de individuele mens. De reikwijdte van het werken met transformatie gaat daar echter ver bovenuit. Want: geroepen door de mens, via zijn hogere zelf in het hart gebracht en vervolgens aan het werk gezet, kunnen álle niveaus van het leven door transformatie geholpen worden hun karma op álle niveaus af te lossen. Het leven zal daardoor aan zijn in de blauwdruk beschreven bestemming gaan voldoen.

De zes stappen in een transformatie
Wanneer het voorgaande wordt samengevat, dan kunnen de volgende stappen in een transformatie onderscheiden worden:

1. U visualiseert een universeel symbool en u laat u daarmee in meditatie verzinken.
2. U laat dit symbool indalen in uw hart.
3. In het actieve deel van de meditatie richt u de scheppingskracht die u nu in uw hart hebt opgebouwd. U verbindt deze met een door u bepaald stukje karma.
4. U maakt aanspraak op de transformatie van dit karma.
5. Indien de transformatie in overeenstemming is met de blauwdruk van diegene waarvoor getransformeerd wordt, zal de scheppingskracht zijn werk mogen doen.
6. U laat het probleem los en u ontspant uzelf weer.

De dertien transformaties en hun symbolen

Het is niet gemakkelijk om te leren onderscheiden welk transformatiesymbool (of combinatie van symbolen) u het beste in uw visualisatie kunt gebruiken om uw meditatie mee te richten. Het is daarin belangrijk om te beseffen met welk doel u in de meditatie wilt transformeren. Om u een richtlijn te geven wordt u in onderstaande lijst een specificatie per symbool, per scheppingskracht, aangereikt. U kunt dan in het transformatieproces beter beslagen ten ijs komen.

VOOR HET INDIVIDUELE LEVEN

1. De Witte Roos

De Witte Roos is het symbool van de Universele Liefde, zij vertegenwoordigt de christuskracht. Zij is het symbool bij uitstek voor de genezing van klachten en kwalen. Zij heft het aan alle kwalen ten grondslag liggende karma op.

2. De Kristallijnen Diamant

De Kristallijnen Diamant is het symbool van het Universele Licht. Dit symbool is verbonden met het bewustzijn. Indien de Kristallijnen Diamant wordt gevisualiseerd stimuleert hij het bewustzijn en brengt daardoor de mens naar zijn hoger kosmisch doel. Hij vereffent de karmische belemmeringen die tussen de mens en zijn kosmische opdracht staan.

3. De Witte Lelie
Een zuiver Witte (kelk)Lelie is het symbool van het Universele Leven. Zij bewaakt het levensdoel van de mens. Door dit symbool te visualiseren wordt zijn levensdoel op een hoger plan gebracht en wordt deze gelijktijdig duidelijker. De belemmeringen die hem van zijn levensdoel afhouden worden getransformeerd.

4. De Ark
De Ark (een boot) is het symbool van het Universele Zijn. Hij omvat de eerste drie symbolen en hij is daardoor de bewaker van het individuele leven van de mens. Wanneer u de Ark roept, behoudt hij uw leven of het leven van de ander voor wie u hem roept. Dit doet hij door het daarbij behorende belastende individuele karma te transformeren.

VOOR HET LEVEN

5. De Graal
De Graal kunt u het beste visualiseren als een kelkbeker, een beker op een voet. De Graal transformeert al het karma dat niet direct tot het individuele karma behoort. Hij transformeert bijvoorbeeld uw familiekarma, het karma van een heel volk, van een nationaliteit, een lotsverbonden groep enzovoort. Door de transformatie van het groepskarma profiteren ook direct de individuele personen in de groep, maar met name worden de moeilijke onderlinge karmische verbanden getransformeerd.

6. De Kristallijnen Kroon
De Kristallijnen Kroon brengt het groepsbewustzijn tot ontwikkeling. Hij ontwikkelt bijvoorbeeld het collectieve bewustzijn van de volkeren in de derde wereld. Dan profiteren onder andere de Pakistani's, de Somaliërs of de Colombianen hiervan. Wanneer u

dit symbool gebruikt en u verbindt het met een groep, dan ontwikkelt het bewustzijn van deze groep zich omdat hierin een stuk belemmerend karma wordt getransformeerd.

7. De Kristallijnen Lotus
De Kristallijnen Lotus brengt de levensbedoeling van levensvormen of van groepen leven tot ontwikkeling, bijvoorbeeld die van de krokodil. Hij brengt dan de levensbedoeling van álle krokodillen duidelijker naar buiten. Dit geldt ook bijvoorbeeld voor de boterbloem, de mens of voor een specifieke groep van mensen, zoals de Papoea's. Hun kosmische bedoeling, hun kosmische opdracht, wordt gestimuleerd en wordt duidelijker begrepen. Dit geschiedt door de Kristallijnen Lotus te verbinden met het belemmerende karma van de levensvorm of van de groep.

8. De Witte Zwaan
De Witte Zwaan is net als de Ark een overkoepelend symbool, hij overkoepelt de voorgaande drie symbolen. Het is zijn taak het leven te bewaken en te bevorderen. Dit doet hij voor het leven in het algemeen, maar ook voor het leven van een specifieke levensvorm. Hij brengt het leven of de levensvorm naar zijn hogere evolutiebestemming door de belemmeringen die hem daarvan afhouden te transformeren.

VOOR DE VERVULLING VAN DE EVOLUTIE

9. De Gouden Zon
De Gouden Zon vervult al het individuele leven dat door hem wordt aangeraakt. Hij vervult bijvoorbeeld de levenssituatie van uw vader of uw moeder. Hij helpt hun Plan van Leven tot vervulling te brengen door het karma te transformeren dat hen van hun levensbestemming afhoudt.

De Gouden Zon kunt u ook gebruiken voor de bescherming van het individuele leven. Door de aura van een mens af te sluiten met de Gouden Zon beschermt u hem tegen verkeerde invloeden van buiten af.

N.B. Dit symbool visualiseert u als een strakke, ronde, stilstaande zon zonder vlammen er omheen; u ziet hem dan zoals u de zon ziet vlak voordat hij ondergaat. De Vlammende Gouden Zon daarentegen (zie 13) is voortdurend in beweging en verandert steeds van vorm.

10. De Witte Iris
De Witte Iris vervult al het leven dat groepsgewijs verbonden is en daardoor een groepsbewustzijn ontwikkeld heeft. Bijvoorbeeld de gehandicapte, de alleenstaande ouder, de hongerigen, zij die verdriet hebben, maar ook de jood of de communist. Elke groep van mensen die via het bewustzijn groepsgewijs verbonden is, wordt door de Witte Iris vervuld. Tenminste, wanneer u deze groep met haar verbindt en u aanspraak maakt op de transformatie van het belemmerend karma.

11. De Dubbele Ster
De Dubbele Ster brengt hele natuurrijken (hele deelgebieden van het leven) tot vervulling door een aflossing in hun karma. Tot de natuurrijken behoren bijvoorbeeld: het mineralenrijk, het plantenrijk, het dierenrijk, de engel, de deva enzovoort.

De Dubbele Ster is een zeer krachtig symbool. Het leven op aarde zou zeer gebaat zijn met het regelmatig visualiseren van deze Dubbele Ster rond de aarde. Veel levensvormen op aarde zouden daardoor onder andere voor uitsterven behoed worden.

N.B. De Dubbele Ster wordt gevormd door een vijfpuntige ster in een zevenpuntige ster.

12. De Gouden Zon met daarin een Witte Iris
Dit symbool overkoepelt de voorgaande drie symbolen. Het bewaakt al het leven in de schepping dat sfeerverbonden is en vervult het. U raakt door dit symbool bijvoorbeeld een hele sfeer

102

van de schepping aan en u helpt mee om in het door deze sfeer en zijn levensvormen opgewekte karma te transformeren.

13. De Vlammende Gouden Zon

De Vlammende Gouden Zon is het hoogste transformatiesymbool. Hij overkoepelt alle universele symbolen. Al wat naar vervulling zoekt, in welke vorm dan ook, visualiseert u in een Vlammende Gouden Zon. De kracht van de Bron van Leven ontfermt zich dan volledig over de mens of over de levensvorm, om ze door de aflossing van hun luciferiaanse karma tot de hoogste vervulling te leiden.

N.B. Zie N.B. van 9.

AAN HET WERK!

Werken met transformatie

Wanneer u werkt met transformatie, dan kunt u dat op verschillende wijzen en op verschillende niveaus doen. Zoals u aan de indeling van de universele symbolen hebt kunnen zien, bevindt zich daarin een driedeling: u kunt transformeren voor het individuele leven, voor het leven en voor de evolutie. De mens kan daardoor genezend en bemiddelend zijn voor zichzelf en zijn medemens, voor de maatschappij en het leven, en voor de evolutie.

N.B. Aan de driedeling van de scheppende krachten en de daarbij behorende werking ontleent de kosmische mens ook de invulling van zijn universele taken. Voordat u wordt uitgelegd hoe u met transformatie werken kunt, wordt hier reeds het verband gelegd tussen het vermogen tot transformatie op zijn diverse niveaus en de universele taken van de mens. De structuur van het bewustzijn van de kosmische mens maakt namelijk zowel het transformeren als de uitvoering van zijn universele taken mogelijk. Het is goed dit gelijk als één geheel te leren zien (zie H 6).

Het werken voor het individuele leven

Met de eerste vier symbolen kunt u niet alleen voor uzelf werken, maar ook voor uw medemens of voor een andere levensvorm, zoals een hond of een kat. Deze symbolen zijn immers alle geschikt voor het individuele leven. Daarnaast kunt u voor de individuele levensvormen ook het negende symbool, de Gouden Zon, visualiseren die de vervulling van het individuele leven bewerkstelligt.

Voor het gebruik van de transformatiesymbolen kunt u in het algemeen de zes stappen van transformatie volgen. U kunt dan naar eigen behoefte kiezen uit de verschillende hoedanigheden van de transformatiesymbolen voor het individuele leven. Om u op weg te helpen en om tot een meer gevarieerd transformatiepatroon te kunnen komen, zullen wat mogelijkheden met transformatie geschetst worden:

1. Het werken aan de eigen bewustwording

Door een universele meditatie, een meditatie geïnduceerd door het visualiseren van de transformatiesymbolen, versnelt u uw bewustwordingsweg aanzienlijk. Dit komt doordat de universele visualisatie de kracht van uw meditatie vergroot. U verbindt zich dan namelijk direct met de Bron van Leven. De Bron van Leven zal uw bewustzijn dan met de scheppingskracht tot ontwikkeling brengen en u daarbij begeleiden en inspireren.

De meest makkelijke manier, en daardoor de meest gebruikte, is het regelmatig visualiseren en in laten dalen van de Gouden Zon, die direct de vervulling van het individuele leven (en dus ook van uw bewustwordingsweg) bewerkstelligt. Door daarnaast eventueel gericht op uw klachten, kwalen en struikelblokken te transformeren vereffent u het u belemmerende karma dat u op uw weg van bewustwording ontmoet, waardoor deze soepeler zal verlopen (zie 3).

U kunt ook nog op een andere manier aan de ontwikkeling van uw bewustzijn werken:

2. Het gericht ontwikkelen van het eigen bewustzijn

In het doelgericht tot ontwikkeling brengen van het eigen bewustzijn handelt u als volgt:

De eerste tijd visualiseert u het laagste transformatiesymbool (de Witte Roos) om uw meditatie mee op te starten. Gaande op uw weg zult u de behoefte voelen om ook met krachtigere symbolen te mediteren. Uw bewustzijn is kennelijk gegroeid. Het is dan tijd om het volgende symbool te gaan gebruiken: de Kristallijnen Diamant. Zo gaat u in de loop van de maanden van de Witte Roos naar de Kristallijnen Diamant, naar de Witte Lelie enzovoort.

Tijdens een meditatie kunt u ook de kracht opvoeren door van laag naar hoog door de symbolen te gaan en deze elk een tijdje te visualiseren. Het proces om naar steeds hogere symbolen toe te gaan stopt vanzelf wel als u aan de hogere symbolen nog niet toe bent; dan glijdt u automatisch de stiltemeditatie in.

Bent u reeds gevorderd op deze weg, induceer de meditatie dan eerst door middel van de Witte Roos, visualiseer daarna de Gouden Zon en vervolgens de Vlammende Gouden Zon. Zo zult u uw energiefrequentie op verantwoorde wijze snel opvoeren, om uiteindelijk de allesomvattende energie van de Bron te leren dragen, de Vlammende Gouden Zon.

3. Het gericht transformeren van uw klachten en kwalen

Voor het transformeren van klachten en kwalen is de Witte Roos het geëigende symbool. U kunt op de volgende wijze te werk gaan:

1. U visualiseert de Witte Roos.
2. U laat haar in uw hart indalen.
3. U laat haar vervolgens in gedachten naar de zieke, pijnlijke of gekwetste delen van uw lichaam gaan.
4. U houdt haar daar even vast.
5. U maakt aanspraak op transformatie.

6. U ontspant weer en laat alles los.

Een korte aanraking met de Witte Roos is voldoende. Daardoor kan zij haar helende energie vrijgeven, wanneer de transformatie tenminste in overeenstemming is met de bedoeling van uw leven die in uw blauwdruk besloten ligt. Wanneer dat zo is, zal het karma ter plekke transformeren, waardoor de kwaal verlicht wordt of uw genezingsproces zich zal gaan inzetten. U kunt deze werkwijze naar behoefte herhalen.

4. Het werken voor uw medemens
Het werken voor uw medemens kunt u op twee verschillende manieren doen:

a. Het uitstralen via uw hart
De stappen van transformatie zien er dan als volgt uit:

1. U visualiseert het door u gekozen symbool.
2. U laat het symbool in gedachten afdalen naar uw hart, waardoor het hartchakra zich kan afstemmen op deze energie en zich op zijn uitstralende taak kan instellen.
3. U denkt vervolgens even aan de persoon (levensvorm) die u helpen wilt en eventueel aan de specifieke problemen waarvoor u in deze wilt werken.
4. U maakt aanspraak op transformatie.
5. U laat via het inmiddels omgeklapte hartchakra de scheppingskracht naar deze persoon (levensvorm) en zijn problemen toestromen. Als de transformatie in overeenstemming is met zijn blauwdruk zullen, door de aanraking met deze energie, vele belemmerende blokkades die met zijn door u benoemde problematiek te maken hebben getransformeerd worden.
6. U laat de mens (levensvorm) en zijn problemen weer los.

b. Het werken met de Gouden Schaal
De Gouden Schaal kunt u met name gebruiken wanneer u veel voor andere mensen transformeert. U kunt namelijk gelijktijdig

meerdere mensen in een door u gevisualiseerde Gouden Schaal te plaatsen, die dan gelijktijdig door u getransformeerd kunnen worden. Het transformeren wordt hierdoor lichter en minder tijdrovend. Deze mensen krijgen allen dezelfde soort transformatie. Dat wil zeggen dat ze allen met dezelfde, door u gekozen symbolen aangeraakt worden. U gaat als volgt te werk:

1. U visualiseert een grote Gouden Schaal.
2. In gedachten plaatst u de door u gewenste personen en levensvormen (eventueel met aanduiding van al hun problemen) in deze schaal.
3. U visualiseert vervolgens het door u gekozen symbool.
4. U laat deze in de schaal indalen.
   Wilt u meerdere symbolen gebruiken, dan zult u ze één voor één visualiseren en laten indalen.
5. U maakt aanspraak op transformatie. Indien dat mogelijk is, zal er direct voor alle mensen in de schaal en in hun (door u geduide) problemen getransformeerd worden.
6. U laat ze weer los.

Het belangrijkste voordeel van het op deze wijze werken is dat uw eigen wezen minder aangeraakt wordt door de hoge energie. U hebt de transformatie buiten uw wezen geplaatst en u werkt zo niet via het hart. Uw bewustzijn ontwikkelt zich zo weliswaar minder snel, maar wanneer u erg veel voor anderen transformeert, bespaart u zich de overbelasting van uw spiritueel wezen. Uw bewustzijnsontwikkeling zou zich namelijk zo snel kunnen gaan voltrekken, dat u zelf te veel grote veranderingen op uw weg zou krijgen, die u ook maar weer moet zien te verwerken.

Waarschuwing
Zolang we zelf nog blokkades hebben, geldt in het algemeen voor de weg van meditatie en transformatie dat indien u te veel emotionele verwerkingen op uw weg mocht krijgen het beter is dat u even een adempauze inlast voordat u weer verder mediteert of transformeert. Wees zuinig op uzelf, laat uw weg van bewustwording en groei vooral een evenwichtige

weg zijn. Overdrijf hierin nooit vanuit een gevoel van perfectionisme of vanuit schuldgevoel!

5. Het belangeloos werken voor de medemens

Wilt u graag voor de mens werken, maar niet voor iemand in het bijzonder, dan kunt u de Gouden Zon visualiseren, deze in uw hart plaatsen en de kracht hiervan, zonder ergens speciaal op te richten, van u uit laten stromen. De scheppingskracht zal dan zelf wel een hoeveelheid individueel karma ontmoeten en deze neutraliseren.

Bij het stromen van de scheppingskracht is het net als met water: water stroomt naar het laagste, diepste punt. In dit geval zal de energie stromen naar de mens (of de levensvorm) die door zijn karma het zwaarst belast is en die het dus het hardst nodig heeft! Belangeloos transformeren, of het nu voor de mens, voor het leven of voor de evolutie is, geeft de goddelijke wil de vrije hand om zijn scheppend werk daar te doen, waar het het hardst nodig is.

De twee poorten van een transformatiesymbool
De transformatiesymbolen kunt u op twee manieren gebruiken:

a. Geroepen door uw vrije wil
Door de universele symbolen als sleutel te gebruiken kunt u uit vrije wil de scheppingskracht via uw wezen aan het werk zetten. De transformatie die ú dan oproept zal echter alleen doorgang vinden als de uitkomst van deze transformatie ook overeenkomstig de goddelijke wil is. Dat wil zeggen, wanneer deze strookt met de blauwdruk van de levensvorm.

b. Als oproep naar de goddelijke wil
Door de universele symbolen belangeloos te gebruiken kunt u duidelijk maken dat de Schepper van uw instrument gebruik kan maken tot op het niveau dat het symbool aangeeft. Door dit sym-

bool te visualiseren krijgt de Schepper een vrijbrief om de door u opgeroepen scheppingskracht te benutten naar Zíjn wil.

De innerlijke leiding krijgt altijd voorrang
U hebt nu al wat richtlijnen voor de transformatie van het individuele leven ontvangen. Maakt u hier alstublieft geen dogma van! Dient zich in uw meditatie spontaan een symbool aan, dan gaat u bij voorkeur daarmee aan het werk. Laat de impulsen van inspiratie van uw innerlijke leiding in uw meditatie toe. Het is namelijk belangrijk deze impulsen te verstaan en te leren volgen. Zij verdienen altijd de voorkeur boven de planning die u voor uzelf had gemaakt!

De Gouden Kroon
In de meditatie kunt u ook spontaan een Gouden Kroon ontmoeten. De Gouden Kroon is geen transformatiesymbool, ook al heeft het een krachtige transformerende werking. De Gouden Kroon is het symbool dat al het leven behoudt, hij is namelijk het symbool van de Ark van het Behoud, het bewustzijn van het hart van de schepping. De Ark van het Behoud is het bewustzijnsveld dat de aquariusevolutie vasthoudt, om deze van daaruit vorm te geven. De Gouden Kroon is daardoor tevens het symbool van de hoogste universele leiding van het Aquariustijdperk.

Het gericht zoeken van universele leiding
Door gericht met een Gouden Kroon te gaan mediteren, kunt u zich bewust op de universele leiding van de Bron richten, die via de Universele Wereldregering tot u komt. De Universele Wereldregering begeleidt de voortgang van de aquariusevolutie en door de Universele Wereldregering zullen te zijner tijd ook uw hogere aquariusopdrachten begeleid en gedragen worden.

Zoekt u de universele begeleiding van de Bron van Leven, visualiseer dan voor uw stiltemeditatie in deze volgorde: de Gouden Zon, de Vlammende Gouden Zon en de Gouden Kroon.

109

U geeft zo aan voor de Universele Wereldregering te willen werken en als uw bewustzijn ver genoeg gegroeid is, kan de Universele Wereldregering ook u begeleiden. U hebt, door zo uw meditatie in te gaan, uw toestemming daarvoor reeds gegeven.

Het werken voor het leven

Het zelfregenerend vermogen van het leven

In het leven is een zelfregenererend, een zelfherstellend vermogen aanwezig. Dit is in een basiswet van het leven veilig gesteld. Door de transformatiesymbolen 5 t/m 8 te gebruiken roept u dit zelfregenererend, zelfgenezend vermogen van het leven aan. U zet het leven dan vanuit de grootst mogelijke diepte aan het werk, om zichzelf vanbinnen uit te herstellen.

U kunt, door met deze symbolen te transformeren, meewerken aan een oplossing voor alle grote problemen waar het leven onder zucht. Soms is het echter moeilijk om uit te zoeken bij welk symbool u de problemen van het leven onder moet brengen. Denk daarbij maar eens aan problemen als honger, het milieu, de wereldeconomie, rassendiscriminatie en dergelijke. In zo'n slecht te definiëren geval transformeert u gewoon met de Witte Zwaan. Deze is het overkoepelend symbool van deze categorie en draagt daardoor alle componenten van de zelfregenererende kracht van het leven in zich gebundeld. Hij draagt het meest complete, krachtigste zelfregenerend vermogen van het leven in zich!

Omdat u op deze wijze het zelfregenererend vermogen van het leven kunt aanwenden, bent u verre van machteloos! U bent veel krachtiger dan bijvoorbeeld de politieke leiders die door hun politieke oplossingen slechts aan de oppervlakte van de problemen van het leven aan het sleutelen zijn. U werkt vanuit de diepte met de scheppingskracht die het leven creëerde en die het vermogen heeft het leven naar zijn werkelijke bedoeling te brengen.

U kunt op twee manieren het leven behulpzaam zijn:

1. Het gericht werken voor het leven
U gaat als volgt te werk:

1. U kiest een transformatiesymbool (5 t/m 8) en visualiseert deze. Door de keuze van het symbool bepaalt u voor welk deel van het leven en met welk doel u wilt helpen transformeren.
2. U laat de daarbij behorende scheppingskracht indalen in uw hart.
3. U verbindt u in gedachten met (dit deel van) het leven en zijn problemen.
4. U maakt aanspraak op transformatie.
5. U straalt de scheppingskracht uit om, als het in overeenstemming met de blauwdruk van (dit deel van) het leven is, het belemmerende karma te laten neutraliseren.
6. U laat het probleem los en u ontspant uzelf weer.

2. Het belangeloos werken voor het leven

1. U visualiseert een Witte Zwaan.
2. U laat deze in uw hart indalen.
3. U laat vervolgens de scheppende kracht enige minuten stromen zonder deze op iets speciaals te richten.
4. U ontspant uzelf weer.

Zo wordt door u de goddelijke bedoeling met het leven uitgestraald en geactiveerd in het leven. De grootste knelpunten kunnen zo door u verlicht worden, zonder dat u zich bewust bent wat u nu precies doet of waaraan u bijdraagt. Misschien wordt het leven in de sferen wel geholpen of brengt u transformatie in de problematiek van de astrale wereld. Misschien mogen de kabouters er wel van profiteren. Er zijn ook nog zoveel soorten natuurwezens waar wij het bestaan niet eens van vermoeden, laat staan dat wij voor hen zouden transformeren!

Het Beheer van het Leven
Wij zijn niet oppermachtig in het leven, maar wij kunnen door belangeloos te transformeren de Bron van Leven (de Schepper) behulpzaam zijn zelfs in de door ons niet gekende problematiek van het leven! Zo kan de mens bijdragen in het Beheer van het Leven door belangeloos zijn wezen beschikbaar te stellen om gebruikt te worden door de goddelijke wil (H 6). Door het visualiseren van de Witte Zwaan geeft u de Bron van Leven daarvoor uw toestemming.

Het werken voor de evolutie
Het werken voor de evolutie kunnen we ook weer gericht of belangeloos (niet gericht) doen.

1. Het gericht werken voor de evolutie
Door middel van uw vrije wil, die door de transformatiesymbolen gekoppeld wordt aan de goddelijke wil, kunt u, door de symbolen 9 t/m 13 te gebruiken, de knelpunten in de evolutie op zijn diverse niveaus tot oplossing helpen brengen. U helpt dan mee aan de vervulling van de evolutie van het leven en van alle levensvormen door in de allerhoogste bewustzijnsniveaus het karma te helpen neutraliseren.

U kunt te werk gaan zoals beschreven is voor het gericht werken voor het leven, u neemt voor de vervulling van de evolutie hier alleen de symbolen 9 t/m 13 voor.

2. Het belangeloos werken voor de evolutie
Door de Vlammende Gouden Zon te visualiseren, deze in uw hart te plaatsen en in totale overgave belangeloos uit te stralen, geeft u de Bron van Leven de kans om u als instrument te gebruiken alle levensvormen op hun evolutiebestemming, hun vervulling, te brengen.

U kunt te werk gaan zoals beschreven is voor het belangeloos werken voor het leven. U gebruikt op dit niveau echter de Vlammende Gouden Zon.

Het Beheer van de Evolutie
Het voordeel dat de Bron van Leven van de hulp van de mens heeft, is dat de mens het leven in de materie door zijn aanwezigheid daar heel direct vanbinnen uit kan helpen omvormen. Het is dus van heel wezenlijk belang dat de mens meehelpt om de evolutie van de materie te bevorderen. Door op de hiervoor beschreven wijze te functioneren kan hij, wanneer hij qua bewustzijn voldoende ontwikkeld is, op den duur zelfs deelnemen aan het Beheer van de Evolutie (H 6).

Het Beheer van de Sferen
We hebben reeds mogen zien dat de mens door zijn bewustzijnsontwikkeling in het Beheer van het Leven en in het Beheer van de Evolutie kan deelnemen. Het hoort echter ook tot zijn mogelijkheden om als uiterste vervulling van het werken voor de evolutie ook in het beheer van de niet-materiële sferen van het leven geplaatst te worden, om daarin ook mee te mogen dragen. Dit hoogste werk binnen de evolutie wordt het Beheer van de Sferen genoemd.

De mens als evoluerend beginsel
De mens werd geschapen naar Gods gelijkenis. De Schepper (de schepping) kent een dertienvoudig bewustzijn van waaruit Hij dertien scheppende krachten uitzendt, die het leven in stand houden. Deze scheppende krachten wil Hij nu ook graag via de mens in het leven hanteren. Om dit te realiseren onderging het bewustzijn van de mens, met de intrede van het Aquariustijdperk, een grote mutatie. Zoals we reeds gezien hebben mocht zijn bewustzijn dertienvoudig worden en werd de mens daardoor de kosmische mens.

Als kosmisch mens kan de mens aan de bij de oorsprong meegegeven incarnatie-opdracht gaan voldoen: hij kan nu daadwerkelijk een evoluerend beginsel voor de Schepper zijn door het in de mens vrijgegeven goddelijk bewustzijn nu te gaan gebruiken. Hij mag daarmee evolutie brengen voor de individuele mens, voor het leven en voor de evolutie zelf. Transformatie, en straks ook transmutatie, zijn de werktuigen waarmee de mens een evoluerend beginsel kan zijn. Hiermee kan hij aan zijn incarnatie-opdracht, zijn levensbestemming, en de levensbestemming van de mens als soort voldoen.

De mens, de werker in de Spiraal van Evolutie
Door op de weg van bewustwording aan zichzelf te werken wordt de mens zich ervan bewust welk een prachtig instrument hij in zich draagt en welke grote verantwoordelijkheid er daardoor op zijn schouders is gelegd: de mens is een bewustmakende cel in het wezen van de Schepper, die de taak kent het evoluerend beginsel in Zijn wezen, de schepping, te zijn!

De mens kan deze taak alleen volbrengen als hij in totale overgave aan de goddelijke wil de goddelijke bestiering in het leven via zichzelf doorgang wil laten vinden. Zo alleen heeft de Schepper Zijn gelijke, Zijn instrument, Zijn rechterhand, gecreëerd, die - levend in de materie - met Hem Zijn Geest (Zijn scheppende kracht) in de materie wenst door te stralen, waardoor Hij het leven beter evolueren kan.

Wij mochten op weg gaan in de Spiraal van Evolutie, wij mochten op weg gaan naar de Bron van Leven. Wij weten nu dat juist wíj door onze bewustzijnsontwikkeling het instrument zijn die als werker de Spiraal van Evolutie veilig thuis zullen brengen!

5. OVERGAVE

Inleiding
Om van de bewustwordingsfase over te gaan naar een fase waarin de mens op universele wijze voor het leven en voor de evolutie tracht te werken, moet de mens een belangrijke brug in zichzelf overgaan. Deze brug draagt een bord waarop het woord 'overgave' geschreven staat.

Slechts de mens die tot overgave gekomen is kan een universele werker voor het leven worden. Deze mens kan in zijn universele taken gaan functioneren, om in het werk binnen het Plan van de Schepping op zijn vele niveaus bij te gaan dragen.

Wat is overgave?
We zijn het begrip 'overgave' op verschillende manieren tegen gekomen. We ontmoetten reeds de volgende definities:

- Overgave is het totaal ondergeschikt maken van de vrije wil aan de goddelijke wil.

- Overgave is het buigen van onze persoonlijkheid voor de goddelijke persoonlijkheid in onszelf.

- Overgave is het ondergeschikt maken van onze lagere aard aan onze hogere aard.

We hadden ook kunnen zeggen:

- Overgave is het overstijgen van de in ons aanwezige dualiteit om op te kunnen gaan in de eenheid van de Bron

115

van Leven in ons, om die eenheid in ons leven bepalend te laten zijn.

De laatste definitie lijkt de meest complete verwoording te zijn van wat overgave nu werkelijk is. Deze brengt ons namelijk heel dicht bij het ontstaan van het leven en de werking van de evolutie. We komen daardoor het dichtst bij de Universele Waarheid van het Leven.

Wanneer we terugblikken op het ontstaan van het leven kan het mechanisme van overgave nog beter begrepen worden en kunnen er misschien nog andere bewoordingen aan worden gegeven.

Het proces van incarnatie

Toen de mens de Bron van Leven verliet en hij bij de Creatie zijn individualiteit en zijn vrije wil kreeg, werd hij naar de materie gezonden om daar in dualiteit te leven. Hij zou in de materie onderhevig zijn aan de wetten van oorzaak en gevolg, die zijn leven tot in het prille begin van het Aquariustijdperk zouden bepalen. In deze zetting begon hij aan de involutie de materie in.

De involutie, het proces van wording

De involutie is het proces van de wording van het leven in de materie, het is de afdaling van het leven de materie in. Alle levensvormen waren dus onderhevig aan de involutie. Gelijktijdig met het leven mocht de materie zelf ook een wordingsproces ondergaan en deze beide wordingsprocessen zijn nu volledig voltooid.

De mens mocht destijds in de materie involueren met als doel dat wanneer het wordingsproces van de materie voltooid zou zijn, hij de materie zou gaan helpen om de goddelijke Geest in haar op te nemen. Het is zijn taak haar met Geest te helpen bezielen. Daarmee zal de materie aan haar bestemming kunnen voldoen.

De mens is met de opdracht geïncarneerd het evoluerend beginsel in de schepping te zijn. Hij is het wezen dat de schepping assisteert om haar te vervolmaken, nu ook haar wordingsproces - haar proces van involutie - voltooid is. Hij assisteert het leven in de schepping met zijn bezieling, zijn verlichting met de Geest.

De evolutie, het proces van de indaling van de Geest
De wordingsprocessen in de schepping, in de materie en ook in de mens zijn in 1985 afgesloten. Daarna is een nieuw proces in de schepping van start gegaan: het proces van verlichting, van vervolmaking, van bezieling, het proces van de indaling van de goddelijke Geest: het proces van evolutie[17].

Het proces van involutie was een proces van een steeds groter wordende afgescheidenheid, van individualisering en verdichting. In de involutie mochten de levensvormen hun eigenheid, hun vorm aannemen. Het proces van evolutie is daarentegen een proces van groei naar steeds meer eenheid, de afgescheidenheid weer overstijgend.

In de evolutie zullen de levensvormen die helemaal zichzelf zijn geworden en zichzelf nu ook hebben leren herkennen de goddelijke Eenheid, de Geest, mogen aanschouwen. Ze mogen zich een deel van een groot geheel gaan voelen en hun eigen unieke taak in het grote geheel op zich gaan nemen. Daarin mogen zij de belangen van het grotere geheel voorop leren stellen.

De schepping, een levend organisme
De schepping is één groot geheel dat heel veel levende organismen herbergt, die alle dit grote geheel dienen en daarin hun eigen taak mogen vervullen. De schepping is een organisme, waarin de levensvormen als zelfstandige eenheden, als cellen, kunnen worden beschouwd.

We onderscheiden in de schepping cellen die weefsels en cellen die organen vormen. Dit is afhankelijk van hun taak binnen het grote geheel. Wanneer een cel echter niet goed meer aan de oorspronkelijk gegeven taak kan voldoen - de taak waarmee hij incarneerde - dan disdifferentieert zo'n cel. Je zou ook kunnen zeggen dat die cel dan gaat woekeren. Dit is hetzelfde proces dat we in het lichaam van de mens zien, waar de mens die celwoekering 'kanker' heeft genoemd.

Wanneer veel cellen woekeren worden weefsels of organen aangetast en kan het grote geheel niet goed meer blijven functioneren. Wanneer de cel niet sterk in zijn levensbedoeling staat, kan uiteindelijk ook het grotere organisme zijn levensbedoeling niet meer uitvoeren. In het grote geheel dat de schepping is, is het dan ook enorm belangrijk dat elke cel in zijn oorspronkelijke, in zijn blauwdruk gekende levensbedoeling staat. In de schepping kent daarom elk element de opdracht de uitvoering van de eigen levensbedoeling te bewaken.

Wanneer we vanuit deze visie naar het begrip overgave kijken, kunnen we tot nieuwe definities komen, zoals:

- Overgave is de onderwerping van de levensvorm aan de bij de Creatie meegegeven levensbedoeling, die in de blauwdruk wordt gekend.

- Overgave is de afstemming van de levensvorm op het grote geheel en diens belangen, die in het oorspronkelijke, in de blauwdruk opgetekende, levensplan vermeld staan.

- Overgave is dienstbaar zijn aan het grote geheel.

- Overgave betekent discipel worden van het geheel, om diens belangen te dienen.

- Overgave is de eenheid beleven die het geheel is en deze weer in het eigen wezen voelen en beleven.

118

- Overgave is het geheel Zijn.

- Overgave is Zijn.

II: WERKEN BINNEN HET PLAN VAN DE SCHEPPING

Het leven, een weg van dienstbaar zijn
Het is een basiswet in de schepping dat elk organisme dienstbaar is aan het grote geheel dat de schepping is. Dit geldt dus ook voor de mens. De mens kent echter een dubbele dienstbaarheid en daardoor ook een dubbele verantwoordelijkheid:

1. Hij is dienstbaar aan de schepping.
2. Hij helpt alle levensvormen, opdat zij op juiste wijze dienstbaar aan de schepping kunnen zijn.

Als evoluerend beginsel in de schepping is de mens alles, maar dan ook alles wat leeft behulpzaam om dienstbaar te zijn. Dienstbaar zijn is zijn hoogste roeping, die, als de overgave daarin compleet is, 'discipelschap' wordt genoemd.

Het discipelschap van de mens
Wanneer de persoonlijkheid van de mens tot totale overgave is gekomen, wordt zijn weg van dienstbaarheid omgezet in een weg van discipelschap. Het discipelschap van de mens houdt in dat hij als werkzaam instrument volledig dienstbaar is aan de Schepper om Zijn wezen, de schepping, te verzorgen en in goede conditie te houden.

In het proces van discipelschap is de mens niet alleen behulpzaam bij de verzorging van de materie van de Schepper maar ook bij de ontplooiing van Zijn geest, Zijn bewustzijn. De geest van de Schepper is een spiritueel orgaan dat eveneens evolueert. De mens is geroepen om ook in de ontplooiing van dit orgaan mee te

119

werken. Door zijn bewustzijn tot ontwikkeling te brengen kan hij op alle niveaus van de schepping werkzaam aanwezig zijn om de blokkades en de kwalen op alle niveaus op te ruimen, zelfs in haar geest.

Discipelschap en meesterschap

Wanneer de mens zijn persoonlijkheid tot overgave heeft gebracht en hij tot het meesterschap over zijn persoonlijkheid gekomen is, begint als gevolg daarvan zijn weg van discipelschap. De weg van discipelschap voert hem vervolgens naar een steeds hoger, meer ontwikkeld meesterschap. Het leidt hem naar het meesterschap over de materie, het meesterschap over het leven en uiteindelijk naar het meesterschap over de geest: zijn eigen geest en de goddelijke Geest.

De overal werkzame mens kan op alle fronten ingezet worden, hij mag alle niveaus van de schepping assisteren om tot evolutie te komen: de materie, het leven en de geest. Hij zal zo uiteindelijk ook het volledige meesterschap over de schepping verwerven (zie Appendix VI).

De levensmysterieën worden ontsloten

Met het inzetten van het Aquariustijdperk zijn aan de mens alle niveaus van meesterschap ontsloten. Daardoor zullen alle levensmysterieën zich successievelijk bij hem aandienen om door hem begrepen en geïntegreerd te kunnen worden. Dit brengt hem tot een verhoogd bewustzijn, een verdiept begrip en tot een verhoogde werkzaamheid. Door dit alles zal hij zijn taak een evoluerend beginsel te zijn steeds beter kunnen begrijpen en uitvoeren.

De werker, de discipel van nu

Deze goed toegeruste mens kan een hoogwaardige werkkracht in de schepping zijn. Op de vorige pagina werd hij 'een discipel' genoemd. In dit boek wordt het wat modernere woord 'werker' voor hem geïntroduceerd. Een discipel zal hier dan ook van nu af aan een werker worden genoemd. Er wordt er dan wel van uitgegaan dat deze werker in die totale overgave staat welke hem tot een discipel, tot een instrument, van de schepping maakt, waardoor hij binnen het Plan van de Schepping kan dienen.

Werken binnen het Plan van de Schepping

In de hele wereld worden hoog bewuste mensen geroepen om werker te worden binnen het Plan van de Schepping. Dit werkerschap kan zich vormgeven in het Plan van het Leven, het Plan van de Mensheid, het Plan van de Aarde enzovoort. Op diverse niveaus worden de tot overgave gekomen werkers opgenomen in de universele Plannen binnen het Plan van de Schepping.

Het toetreden tot het Plan van de Schepping geschiedt niet lukraak. Slechts de mens die door zijn overgave meesterschap over zijn persoonlijkheid heeft verworven wordt geroepen toe te treden tot de Universele Wereldregering, waardoor voor hem het werken in het Plan van de Schepping aanvangt. Op welk niveau hij in de toekomst in dit Plan zal worden ingeschakeld, is afhankelijk van de groei van zijn bewustzijn en zodoende van het niveau van zijn groeiend meesterschap (Appendix VI).

De Universele Wereldregering

Er is een goed georganiseerde structuur en een daarbij passend goed georganiseerd bestuur in de schepping aanwezig. Deze wordt de Universele Wereldregering genoemd. In het Vissentijdperk kon de mens nog niet aan de Universele Wereldregering deelnemen, hij bezat toen nog niet de bewustzijnsstructuur om dit werk te kunnen dragen. Met het inzetten van het Aquariustijdperk is dit wel mogelijk geworden. Door het dertienvoudig bewustzijn van de kosmische mens kan de mens nu geestelijk zover reiken dat hij in de hoger ontwikkelde geestelijke sferen kan vertoeven en daardoor in de Universele Wereldregering kan participeren.

De Universele Wereldregering draagt zorg voor de uitvoering van de diverse Plannen van de levenseenheden. Zij ziet erop toe dat de werkers op het juiste niveau in het Plan zullen dienen, wat, zoals zojuist gesteld is, afhankelijk is van het niveau van het verworven meesterschap. De Universele Wereldregering leidt de werkers op om door middel van de verschillende niveaus van meesterschap in de diverse universele plannen te dienen.

Nu het voor de mens mogelijk geworden is om toe te treden tot de Universele Wereldregering, waardoor hij zijn vele universele taken kan uitvoeren, is het extra belangrijk dat hij de weg van bewustwording aan durft te gaan. Het is belangrijk dat hij het meesterschap over zijn persoonlijkheid ook werkelijk verwerft, zodat hij toegelaten kan worden tot het werk van de Universele Wereldregering. Anders doet hij niet alleen zichzelf, maar ook het leven te kort. Dan onthoudt hij het leven zijn vermogen om een universeel werker voor het leven te zijn.

De draagkracht in het universele werk
In het instrument van de werker staat het goddelijk bewustzijn, waarover hij als kosmisch mens beschikken kan, centraal. Door zijn bewustzijn tot goddelijke hoogte te ontplooien zal hij niet alleen meesterschap op de diverse niveaus verwerven, maar zal hij ook de tot goddelijke hoogte ontwikkelde kracht van zijn bewustzijn (de scheppingskracht) het leven inbrengen, om daarmee het leven tot ontwikkeling te brengen. Op deze wijze is de mens een universeel instrument, een werker, voor het leven.

Transformatie en transmutatie
Om het werkerschap in de mens reeds tot werkzaamheid te laten komen nog lang voordat hij zo'n hoge graad van meesterschap heeft bereikt dat hij kan toetreden tot de Universele Wereldregering, worden twee universele werkmethoden aan het begin van het Aquariustijdperk aan de mens beschikbaar gesteld. Te weten: transformatie en transmutatie (H 4)!

Door transformatie en transmutatie kan de mens zonder meesterschap over de persoonlijkheid verworven te hebben reeds op universele wijze werken. Transformatie en transmutatie garanderen namelijk de totale overgave, de werking van de goddelijke wil, die een werker tot een discipel van de Bron van Leven maakt. Ze verschaffen hem op een veilige wijze toegang tot de Bron nog voordat hij meesterschap verworven heeft!

Ieder mens die qua bewustzijn nog niet zo ver gevorderd is dat hij via een bereikte vorm van meesterschap toegang tot de Bron van Leven heeft, kan zich dus door het visualiseren van een universeel symbool verbinden met de Bron. Transformatie en transmutatie vormen een brug naar de Bron in een fase waarin het bewustzijn van de mens dit zelf nog niet overbruggen kan. Zo kan hij zonder meesterschap bereikt te hebben toch vanuit de Bron werkzaam zijn. Hierin ligt het geheim dat transformatie voor élk mens werkt, ongeacht zijn staat van bewustzijn.

Het transformeren zonder universele symbolen
Bij het vorderen op uw bewustwordingsweg kan het zijn dat uw bewustzijn door overgave en groei het goddelijk bewustzijn wel gelijk geworden is, bijvoorbeeld op het niveau van de Universele Liefde (symbool: de Witte Roos). In Appendix I-b kunt u zien dat de bewustzijnsvelden van de kosmische mens namen dragen die overeenkomen met de universele symbolen. Wanneer uw bewustzijn de Universele Liefde gelijk geworden is, zal deze indalen in het corresponderende veld van uw bewustzijn, namelijk dat van de Witte Roos. U hebt dan op die hoogte meesterschap verworven en u wordt dan één met de Bron op dat niveau.

Dit impliceert dat u het bijpassende symbool, in dit geval de Witte Roos, niet meer als brug voor uw transformaties hoeft te gebruiken, maar dat u op dat niveau van bewustzijn transformatie Bent! Dag en nacht, onvoorwaardelijk en belangeloos. U zendt dan door de uitstraling van uw wezen op dat niveau voortdurend een geweldig potentieel van transformatie uit!

Eenheidsbewustzijn

Het komen tot overgave aan het goddelijk wezen brengt u stap voor stap de eenheid met de Bron van Leven, waardoor u uiteindelijk eenheidsbewust zult zijn. Al uw bewustzijnsvelden zullen dan tot overgave gekomen zijn aan de Bron en deze zal dag en nacht via u werkzaam kunnen zijn, zonder dat u daar nog symbolen voor hoeft te gebruiken. De eenheidsbewuste mens kan dan echter nog wel steeds gericht door een universeel symbool blijven transformeren, maar hij hoeft dat niet meer.

Wanneer u alle scheppende krachten in uw bewustzijn geïntegreerd hebt en daardoor de hoogste staat van meesterschap hebt verworven, bent u een avatar gelijk. Uw werken binnen het leven zullen dan van een groot opbouwend belang zijn (H 6).

III: DE WEG VAN INWIJDING

Er zal hier dieper worden ingegaan op het mechanisme van de weg van bewustwording, die ook wel de weg van inwijding wordt genoemd. Door een verdiept begrip van deze weg kan er ook weer beter meegewerkt worden.

Overgave en de weg van inwijding

Door een groeiende overgave zal aan de mens een steeds groter bereik van bewustzijn ontsloten worden, die hij dan benutten kan voor weer een wat hogere vorm van werkerschap. Gaande op de bewustwordingsweg wordt de mens door zijn voortdurende overgave in steeds weer hogere gebieden van zijn bewustzijn ingewijd. Doordat er dan alsmaar hogere werkzame energieën worden vrijgegeven met een daarbij behorend dieper inzicht, wordt hij een steeds effectievere werker.

Bewustwording brengt de mens tot overgave, waardoor hij ingewijd kan worden in een hoger stuk bewustzijn. Dat bewustzijn wordt in hem ontsloten en het wijdt hem in in de verhoogde spirituele energie die hij aangaat door dit nieuwe gebied te betreden. Zo klimt de mens stapje voor stapje de jakobsladder van zijn bewustzijn op en wordt hij ingewijd in dat wat het leven voor hem op die niveaus ontsluiten mag.

De Jakobsladder van het Leven
De Jakobsladder van het Leven is geplaveid met de volgende treden:

1. Het komen tot overgave aan de goddelijke wil op een bepaald niveau.
2. Het integreren van dat nieuwe, hogere bewustzijnsniveau en het gelijktijdig maken van het daarbij behorende huiswerk dat dit bewustzijnsniveau aan de mens vrijgeeft.
3. Wanneer de diepere nieuwe inzichten uitgekristalliseerd zijn zal tot overgave worden gekomen aan de goddelijke wil op weer een hoger niveau.
   Enzovoort.

Hoe hoger de mens de levensladder opklimt, des te effectiever zal zijn werkerschap gericht kunnen worden. De overgave die met die bewustzijnsgroei verbonden is, brengt namelijk de goddelijke wil op een steeds hoger niveau in hem tot expressie. Op deze wijze groeit de mens stap voor stap hogere fasen van meesterschap in. Deze verschaffen hem toegang tot de diverse takken van de Universele Wereldregering, die zelf ook weer via die jakobsladder met het leven verbonden zijn. Zo groeit de mens zijn universele taken in, die hij zelf in de stof mag vormgeven.

Het oneindige leven in de sferen
Het leven is oneindig, het kent geen begin en geen einde. De cirkel waarin het leven is vervat is rond, het begin ontmoet het einde weer. Daarom kan er in het leven geen leven verloren gaan.

Het leven is niet alleen oneindig, het is ook eeuwig, het kent geen tijd. Het kent opgang en groei, want de drijfkracht van de evolutie, het perpetuum mobile van opgang en groei, wordt aangedreven door groei en brengt ons door die groei omhoog. Het perpetuum mobile voert ons naar telkens weer hogere bewustzijnsgebieden, die lichtvelden worden genoemd, omdat wij in een positieve lichtschepping leven (H 7).

Zo zullen wij onvergankelijk en eeuwig door mogen groeien naar meer licht. De basis van dit licht vormt ons bewustzijn, waar het een instrument voor is. Zo zullen wij lichtinstrumenten zijn die door een steeds grotere overgave sterker en sterker worden, omdat wij via ons bewustzijn steeds meer licht in ons mogen opnemen.

Zo zullen wij het evoluerend beginsel in de schepping zijn, die de taak hebben onvergankelijk en eeuwigdurend te evolueren naar meer licht volgens de wetten van opgang en groei, die in ons perpetuum mobile zijn vervat. Wij mogen daar uit vrije wil dienstbaar en evoluerend voor zijn.

Het leven begrepen
Wanneer wij het leven begrepen hebben, zullen wij nog slechts licht zijn, in totale overgave meebewegend op de golven van de schepping die het perpetuum mobile in deze schepping baart; het perpetuum mobile, de goddelijke hartslag van nog veel hoger, die tot ons komt vanuit de oneindige ruimte van het licht.

6: WERKEN VANUIT DE UNIVERSELE WERELDREGERING

Inleiding

In hoofdstuk vijf kwam reeds ter sprake dat er een goed geordende structuur in de schepping is, met daarmee overeenkomend een goed geordende Universele Wereldregering. In dit hoofdstuk staat het werken vanuit de Universele Wereldregering centraal. Er zal uitgelegd worden hoe de structuur van de Universele Wereldregering eruit ziet en hoe deze structuur de universele taken waarmee de mens in de Universele Wereldregering participeert bepaalt. Er wordt inzicht verschaft in de manier waarop de mens in deze taken kan functioneren en hoe dat universele werk dan verloopt.

Dit hoofdstuk is in drieën onderverdeeld:

I: Op weg in universeel leven
In deel I wordt u opgeroepen op universele wijze te gaan leven.

II: De opbouw van de Universele Wereldregering
In deel II wordt u wegwijs gemaakt in de structuur van de Universele Wereldregering en wordt u het mechanisme van de participatie van de kosmische mens hierin getoond.

III: Het werken vanuit de Universele Wereldregering
In deel III wordt u getoond welke logische volgorde er in de universele taken van de kosmische mens ligt, wat ze inhouden en met welke hoogten van zijn bewustzijn, van zijn meesterschap, deze verbonden zijn.

N.B. Voor de verschillende vormen van meesterschap die in dit hoofdstuk worden genoemd kan Appendix VI geraadpleegd worden.

Expansie, de groei van het bewustzijn

De schepping waarin wij leven is een expanderende schepping. Dit betekent dat wij ons in een organisme bevinden dat qua bewustzijn nog volop groeit, nog volop in ontwikkeling is. Omdat wij in deze expanderende schepping leven is het ook ons hoogste doel qua bewustzijn te groeien, te expanderen. Omdat deze schepping een lichtschepping is, zijn wij geroepen naar het licht toe te groeien. De drijvende kracht van de evolutie expandeert ons naar meer licht. Expansie naar licht is ons hoogste levensdoel.

Liefde, de weg naar eenheidsbewustzijn

In de expansie naar meer licht worden wij door de evolutie eerst langzaam opwaarts gestuwd naar liefde. Liefde is de eerste uitingsvorm van het licht en zij is dientengevolge onze eerste levensbestemming. Wij mogen de Universele Liefde in ons bewustzijn realiseren alvorens wij naar het Universele Licht kunnen groeien, om uiteindelijk in de Universele Eenheid van de Bron van Leven te kunnen worden opgenomen.

De mens is op weg om eenheidsbewust te worden. Eenheidsbewust is de staat van bewustzijn waarin wij, levend in de materie, de Eenheid van de Bron van Leven volledig kunnen ervaren. Wanneer ons bewustzijn een eenheidsbewustzijn geworden is, kunnen wij hier in de materie de volmaakte staat van het leven doorleven: het Zijn.

Aquarius brengt de realisatie van de Universele Liefde

De aquariusblauwdruk is volledig geënt op de Universele Liefde, de eerste uiting van Universele Eenheid. In de aquariusblauwdruk staat opgetekend dat het wezen van de aquariusmens, de kosmische mens, Universele Liefde is. Daarom zal de mens in het Aquariustijdperk de Universele Liefde volledig in zichzelf integreren om deze vervolgens in het leven te verbreiden. Zo zal het leven ook Universele Liefde worden, zoals eveneens in de aquariusblauwdruk staat opgetekend.

Aan het einde van het Aquariustijdperk zal het bewustzijn van de mens de Universele Liefde volledig gelijk geworden zijn, dat wil zeggen dat zijn bewustzijn de Christus gelijk zal zijn. Met de christuskracht, gevonden in zijn bewustzijn, zal de mens meehelpen al het leven Universele Liefde te laten worden. Het is de universele opdracht van de kosmische mens al het leven in het Aquariustijdperk Universele Liefde te laten worden.

De kosmische mens
De kosmische mens is de mens die zijn hogere afkomst ontsloten heeft. Hij wordt dan ook wel de hogere, goddelijk mens genoemd. Hij heeft zijn lagere aard volledig overwonnen en leeft vanuit zijn hogere aard.

De kosmische mens heeft zijn dertien bewustzijnsgebieden volledig ontsloten, waardoor hij zijn hogere taken kan vormgeven. Hij is een discipel van zijn hoger wezen en het is dit hogere wezen dat hem zijn universele taken aanreikt en hem begeleidt om deze op juiste wijze te verrichten. Op deze wijze zal de kosmische mens met zijn universele bewustzijn bijdragen om het leven een universeel leven te laten worden.

Universeel leven
Universeel leven houdt in dat de mens in overeenstemming leeft met de bedoeling van het leven, die in de oorspronkelijk gegeven blauwdruk is vastgelegd. Het is de kosmische mens vergund universeel te gaan leven; hij is namelijk qua bewustzijn zover ontwikkeld dat hij aan zijn universele levensopdracht kan toekomen. Door de volledige bekrachtiging van het lagere zijn van de aquariusblauwdruk (van januari 1994 t/m mei 1995) is dat voor het leven en voor de mens ontsloten. In het hogere zijn van deze

blauwdruk, die vervolgens ontsloten werd, staat opgetekend dat de mens universeel zal gaan leven en dat mag hij nu dan ook.

Aangezien het in de blauwdruk van de kosmische mens beschreven staat dat hij zijn incarnatie-opdracht om een evoluerend beginsel in de schepping te zijn zal aangaan, komen de universele taken die daarbij horen naar hem toe. Deze kan hij met het aan hem ontsloten dertienvoudig bewustzijn uitvoeren en met die taken zal hij leren op universele wijze te leven.

Wat voor de kosmische mens van het Aquariustijdperk in het algemeen geldt, geldt natuurlijk nog niet direct voor elk mens op aarde. Op dit moment is het alleen aan de voorhoede van de mensheid voorbehouden om als kosmisch mens universeel te leven en zijn universele taken aan te gaan. Niettemin is het de bedoeling dat aan het einde van het Aquariustijdperk élk mens een kosmisch mens geworden is en in zijn universele taken zal staan om op universele wijze te leven.

De grootste verandering aller tijden

Het Aquariustijdperk is het tijdperk waarin zich de grootste verandering in het menszijn zal voltrekken sinds zijn ontstaan. Door de enorme mutatie in het bewustzijn, die het inzetten van het Aquariustijdperk in de mens ontsloten heeft, wordt hem de grootste verandering sinds zijn creatie aangereikt. De mensheid bevindt zich zo midden in de vormgeving van een unieke evolutiesprong, die zij in het nu inzettende tijdperk van mens tot mens in de materie zal mogen realiseren.

Wanneer de voorhoede van de mensheid deze evolutiesprong in zichzelf maar durft toe te laten en durft te integreren, zal deze ook snel door anderen geaccepteerd worden. Dit wordt onder andere verwezenlijkt door de dan direct toegenomen kracht van zijn uitstraling. De mens zal zo steeds meer evoluerend beginnen te zijn en de evolutie van alle levensvormen in de schepping en

van de schepping zelf zal hierdoor een enorm grote versnelling in
kunnen gaan.

De oproep van de Schepper

Het voorgaande maakt duidelijk hoe belangrijk uw besluit is om
de hier aangeboden materie te willen onderzoeken en op waarheid te beproeven. De hele schepping is hierbij betrokken: de
Schepper (en Zijn schepping) evolueert, maar dat kan Hij niet
alleen volbrengen! Hij heeft Zijn bewustmakende cellen, Zijn
evoluerend beginsel, niet voor niets tot leven geroepen. De mens
behoort tot Zijn afweermechanisme om de involutie van Hem af
te schudden en de evolutie in Hem te bevorderen en deze een
aanzienlijke versnelling te geven.

De mens is betrokken bij een grote bewustzijnsmutatie in de
schepping, die tot in de stof gebracht zal worden als de mens zelf
maar muteren wil. In dat proces kan elk individueel mens bijdragen door zijn transformerend en transmuterend vermogen aan te
willen gaan. In dit boek gaat dan ook een oproep van de Schepper uit, die langs inspiratieve weg is verwoord, maar samengevat
betekent dit gewoon:

*'Mens, ga aan de ploeg staan! Neem uw incarnatie-opdracht aan
en ga mee op weg om de grootste mutatiesprong sinds de Creatie
in het leven te realiseren, waardoor het leven een universeel
leven zal zijn!'*

Van vrijblijvendheid naar betrokkenheid

Door het verwerven van het meesterschap over zijn persoonlijkheid heeft de mens de sluis geopend die hem van een aardemens
tot een kosmisch mens maakt (zie Appendix I). Hij verlaat daardoor de fase van vrijblijvende participatie in transformatie en hij
gaat de fase in van directe betrokkenheid bij het evoluerende
werk. Hij wordt geroepen om bewust en heel gericht vanbinnen
uit geleid op weg te gaan en de eerste schreden op de weg van

universeel leven en van universeel werken voor het leven te zetten.

De innerlijke universele leiding zal zich dan bij die mens aandienen met het doel hem via zijn hogere zelf met de Universele Wereldregering te laten communiceren. Deze zal de mens opleiden en hem stimuleren zijn universele taken op zijn schouders te nemen, die vanaf het moment dat hij dit meesterschap verworven heeft hun vrijblijvende aard verloren hebben en daarmee een wezenlijk onderdeel van de weg van die mens geworden zijn. Door de Universele Wereldregering geleid zal hij zijn universele taken zeker naar behoren kunnen uitvoeren!

II: DE OPBOUW VAN DE UNIVERSELE WERELDREGERING

De structuur van de Universele Wereldregering
De structuur van de Universele Wereldregering is te vergelijken met de structuur die we in de schepping aantreffen. In de schepping zien we de dualiteit, we zien stof en geest. In de Universele Wereldregering vinden we dan ook twee afdelingen:

I: Het Beheer van de Materie (stof)
II: Het Beheer van de Sferen (geest)

In de Universele Wereldregering vinden we niet alleen de dualiteit terug, maar álle wetten die het leven hebben vormgegeven. In de opbouw van het leven zien we bijvoorbeeld een driedeling, die we ook in de bijbel kunnen terugvinden. Daar wordt over de Vader, de Zoon en de Heilige Geest gesproken. Bij de transformaties zagen we ook drie soorten symbolen: voor het individuele leven, voor het leven en voor de evolutie. Deze driedeling is een uiting van de oorspronkelijke driedeling die in de schepping plaatsgevonden heeft: het ontstaan van de Heilige Drievuldigheid, die het leven vormgaf.

132

Deze driedeling vinden we dus ook terug in de Universele Wereldregering. Zij ziet er dan als volgt uit:

I: Het Beheer van de Materie
    1. de Planetaire Hiërarchie
    2. de Ashram van het Zesde Wortelras
    3. de School van Elia

II: Het Beheer van de Sferen
    1. de Outer Core
    2. de Inner Core
    3. de Upper Core

Het hoofd van de Universele Wereldregering
Aan het hoofd van de Universele Wereldregering staat de Universele Christus, de Christus van het Aquariustijdperk[18]. Hij is de Christus die stof en geest tot synthese heeft gebracht en die bovendien de synthese van de Vader én de Zoon manifesteert. Hij wordt dan ook de Avatar van Synthese genoemd.

In het Vissentijdperk werd ons geleerd dat de Christus tot de Vader zou gaan. Hij vertegenwoordigde toen 'slechts' de Zoon, de Universele Liefde, die de basis zou gaan vormen van de aquariusblauwdruk. Die basis heeft Hij met de uitstraling van deze Liefde in de loop van de eeuwen gelegd. Ondertussen groeide Hij door naar de Eenheid, ook wel de Vader genoemd. De kosmische mens mag het leven dan ook van Universele Liefde naar Universele Eenheid voeren.

De Universele Christus draagt de Universele Liefde én de Universele Eenheid in Zich. Om die reden zal het leven in het Aquariustijdperk aan de wetten van Eenheid en Liefde beantwoorden. In de komende drie tijdperken zal de mens door de werking van deze wetten de synthese van Eenheid en Liefde in zichzelf en in het leven verwezenlijken, onder de liefdevolle begeleiding van de

Universele Christus, de Avatar van Synthese, die daarin wordt bijgestaan door een uitvoerend orgaan van kosmische meesters.

De eindverantwoordelijkheid in de Universele Wereldregering
De eindverantwoordelijkheid in de Universele Wereldregering wordt door de Bron van Leven, de Schepper, gedragen. De Universele Wereldregering werkt slechts geïnspireerd door Zijn Plan van Schepping, Zijn blauwdruk, waarin Zijn wil is neergelegd.

In dit Plan is voor elke levensvorm een eigen deelplan besloten. Binnen het Plan van de Schepping ligt er een Plan voor de Mens, een Plan voor de Aarde, een Plan voor de Krokodil enzovoort. Elk levensplan rust op deze wijze in Zijn blauwdruk. Het is deze blauwdruk, Zijn Plan van Schepping, die de Universele Wereldregering onder leiding van de Universele Christus ten uitvoer zal brengen.

N.B. Een schema van de opbouw van de Universele Wereldregering vindt u in Appendix V.

De Universele Wereldregering en de mens
Het bewustzijn van de kosmische mens zal in de komende tweeduizend jaar de Universele Liefde gelijk worden. Dat betekent dat de mens een christus gelijk zal worden en we allen uiteindelijk naast de Universele Christus ter rechterhand Gods zullen mogen zitten om Zijn Plan van Schepping te helpen uitvoeren.

Er is slechts één beperking: alleen de mens die meesterschap over zijn persoonlijkheid verworven heeft, wordt toegelaten als werker van de Universele Wereldregering. Daar zal hij een intensieve opleiding krijgen om steeds hogere vormen van meesterschap te gaan realiseren. Zo krijgt hij toegang tot steeds hogere gebieden van de Universele Wereldregering en uiteindelijk zal hij toegevoegd worden aan het uitvoerend orgaan van de Universele Christus. Met Hem zal de mens dan de verantwoordelijkheid delen voor het uitvoeren van het Plan van de Schepping op zijn vele niveaus.

De Universele Wereldregering en de weg van inwijding

De mens kan niet solliciteren naar een bepaalde plek of naar een bepaalde baan in de Universele Wereldregering. De mate waarin zijn bewustzijn ontplooid is bepaalt de plaats en de mate van verantwoordelijkheid die hij in de Universele Wereldregering te dragen krijgt.

De mens kan slechts ingewijd worden in de Universele Wereldregering. Het niveau van de inwijding wordt bepaald door de mate waarin hij via zijn bewustzijn ingewijd is in de sferen. Door een steeds grotere overgave klimt de mens de Jakobsladder van het Leven op (H 5) en wordt zo steeds verder ingewijd. Dat bepaalt de kracht van zijn bewustzijn en de plaats en de invulling van zijn universeel werk binnen het leven.

De weg van inwijding in steeds hogere vormen van meesterschap bepaalt tot welke graad een mens ingewijd kan worden in de Universele Wereldregering. De schepping kent slechts eerlijkheid, de mens bepaalt dit immers zelf door de manier waarop hij aan zichzelf werkt. Hij bepaalt hoe zijn bewustzijn tot ontplooiing wordt gewekt. Hier is slechts eer naar werken en hierin geldt een rechtmatigheid die geen uitverkorenen kent. De 'uitverkorenen' van de Universele Wereldregering hebben er hard voor gewerkt en hebben zichzelf via hun verworven meesterschap uitermate gedisciplineerd om tot overgave te komen aan de goddelijke wil. De mate van deze overgave bepaalde hun weg.

De hiërarchieën van het leven

De vormgeving van de Universele Wereldregering die u tot nu toe geschetst is, is slechts een hele globale vormgeving. In de u genoemde hoofdtakken vinden we allerlei onderverdelingen in kleinere innerlijke besturen, die hiërarchieën genoemd worden.

Deze hiërarchieën hebben allemaal verantwoording af te leggen aan de hoofdtak waartoe zij behoren. Dit gegeven kan nog wat verder uitgediept worden:

Elke levensvorm kent een raad die bevolkt wordt door de dertien qua bewustzijn hoogst ontwikkelde wezens van die levensvorm. Deze wezens vormen samen een hiërarchie die de belangen van die levensvorm behartigt. Deze hiërarchie is het bestuur van die levensvorm. We kennen bijvoorbeeld de Hiërarchie van de Engelen of de Hiërarchie van de Aartsengelen.

De samenwerking van de hiërarchieën

Deze hiërarchieën dragen gezamenlijk de verantwoordelijkheid binnen de tak van de Universele Wereldregering waarin zij functioneren en waaraan zij rapporteren. Daartoe werken zij ook heel bewust samen. Er worden hierin twee manieren van samenwerking onderscheiden:

1. De verticale samenwerking

Een verticale samenwerking kent het doel de kosmische energieën van hoog naar laag door de sferen heen door te geven. Kosmische energie en informatie stromen zo tussen levensvormen van duidelijk ongelijke bewustzijnssterkte en behorend tot een andere levenssfeer (een ander organisme). Voorbeelden van een verticale samenwerking is de samenwerking tussen de aarde en de zon of de zon en het universum.

Op de aarde vinden we verschillende natuurrijken die in hun levensenergie allemaal afhankelijk zijn van het kosmische energietransport van de aarde. Tussen deze natuurrijken en de aarde vindt ook een verticale samenwerking plaats.

2. De horizontale samenwerking

Op aarde werken de levensvormen die tot één bepaald natuurrijk horen samen via hun hiërarchieën. Zo werken de hond en de kat samen in het natuurrijk dat het dierenrijk genoemd wordt, met het doel hun gezamenlijke belangen als dier te behartigen. Deze samenwerking wordt een horizontale samenwerking genoemd en vindt plaats tussen levensvormen die tot eenzelfde bewustzijns- groep behoren en dus dezelfde belangen hebben. In een hori- zontale samenwerking vindt géén kosmische energie-overdracht plaats tussen de verschillende levensvormen.

N.B. De mens vormt hierop een uitzondering, omdat hij door zijn bijzondere incarnatie-opdracht wel kosmische energie hori- zontaal kan transporteren.

Sinds het Aquariustijdperk zijn intrede heeft gemaakt worden de poorten tussen de verschillende natuurrijken op aarde geopend. Er wordt getracht een horizontale samenwerking en communica- tie tussen de verschillende natuurrijken tot stand te brengen, opdat ze hun gezamenlijke belangen op aarde beter kunnen behartigen.

De bewustzijnsniveaus van de natuurrijken verschillen weliswaar, maar vergeleken met het grote bewustzijn van de schepping wordt hun communicatie toch als een *gelijkwaardige* horizontale communicatie gezien, die nu tot stand mag gaan komen.

Inwijding, een verticale beweging
In de inwijdingsprocedures van de mens hebben wij uitsluitend te maken met een verticale beweging tussen organismen. Nadat de mens meesterschap over zijn persoonlijkheid verworven heeft, wordt voor hem de poort tot deze verticale samenwerking ontslo- ten, waardoor hij de hogere bewustzijnsgebieden die in hem aanwezig zijn kan gaan verkennen. Gaande op zijn weg naar de Bron van het Leven zal hij eerst kennis mogen maken met het bezielende bewustzijn van de dichtsbijzijnde levensbron: de aarde, om dit bewustzijn te omvatten en via het hogere zelf in zijn lagere zelf te integreren.[19]

Wanneer de mens het kennismakingsproces met het bewustzijn van de aarde tot een goed einde heeft gebracht en hij dit in het eigen bewustzijn heeft kunnen integreren, volgt er een inwijding in het bewustzijn van het wezen dat de aarde bezielt (de Heer van het Licht). Het directe gevolg van dit Meesterschap over de Aarde is dat de mens wordt toegelaten tot de Planetaire Hiërarchie, het innerlijk bestuur van de aarde. Daarin hebben de meest bewuste mensen, die de Meesters van Liefde en Wijsheid worden genoemd, zitting mogen nemen. Zij zijn verantwoordelijk voor het goed functioneren van het leven op aarde en de zojuist ingewijde mens wordt aan hun zorg toevertrouwd.

Na weer een intensieve bewustzijnsgroei kan de mens ingewijd worden in het bewustzijn van het wezen dat de zon bezielt (de Zonnelogos) en zal hij tevens toegelaten worden tot de Zonnehiërarchie, het innerlijk bestuur van de zon. Vervolgens komt het universum aan bod, enzovoort.

De loges van de hiërarchieën
Het zou wel heel druk worden in het innerlijk bestuur van een levenseenheid, als elk mens door zijn groeiend meesterschap in het kernbestuur van zo'n innerlijke bestuur zou worden toegelaten. Dat gebeurt dan ook niet. De dertien verantwoordelijke meesters in een hiërarchie zijn aangesteld voor een heel tijdperk. Zij dragen derhalve voor 2000 jaar de eindverantwoordelijkheid voor dit levensgebied.

Zij hebben echter elk een loge, een departement, geopend voor de passant, voor de mens die gedurende zijn bewustzijnsgroei informatie komt tanken en de ervaring komt opdoen die bij dit niveau van bewustzijn hoort. Als dank daarvoor draagt de mens dan bij aan het goed functioneren van dit organisme door zijn vermogen tot het horizontaal uitstralen van de kosmische energie in dit geheel van leven.

Doordat de mens zijn verticale groeiweg maakt, zijn weg van inwijding, wordt hij ingewijd in het bewustzijn van steeds hogere organismen. Hij neemt lering en kosmische energie vanuit hun bewustzijn mee en als er genoeg groei in zijn eigen bewustzijn is gekomen, omvat hij uiteindelijk deze organismen in zijn bewustzijn. Wanneer de mens daarna tot weer een grotere overgave is gekomen ontsluit het volgende hogere organisme zich voor hem, opdat hij deze te zijner tijd ook weer in zijn bewustzijn zal mogen omvatten. Zo kan de mens een universeel werker voor het leven worden!

De symbiose van leven teweeggebracht door de mens

Door de weg van inwijding zijn de mens en de levensvorm waarin hij ingewijd is tot een samenwerkingsverband gekomen. De mens heeft een symbiose van leven tot stand gebracht tussen deze levensvorm en zichzelf. Voor het leven brengt deze symbiose de volgende voordelen mee:

1. De verschillende organismen worden door het bewustzijn van de mens sterk met elkaar verbonden, waardoor er een hechtere verbinding in de kosmische structuren ontstaat.

2. Er vindt een informatie-overdracht plaats van hoog naar laag via het bewustzijn van de mens.

3. Er vindt op dezelfde wijze een energie-overdracht plaats, via de verbindende schakel die de mens is.

Het voorgaande toont aan hoe belangrijk de mens door zijn meegroeiend bewustzijn is: hij verbindt de kosmische structuren en hij bewerkstelligt een overdracht van energie en informatie. Zo is ook duidelijk gemaakt hoe de mens het evoluerend beginsel in de schepping kan zijn!

III: HET WERKEN IN DE UNIVERSELE WERELDREGERING

A. HET BEHEER VAN DE MATERIE

Op weg in het Beheer van de Materie

Nadat de mens meesterschap heeft verworven over zijn persoonlijkheid wordt hij geacht zijn hogere wezen te gaan verkennen. In zijn hogere wezen liggen zijn diepere wortels. De mens is geworteld in de aarde. Zijn menselijk bewustzijn wortelt dan ook in het bewustzijn van de aarde. Gaande op weg naar de ultieme Bron van Leven vindt hij de dichtsbijzijnde levensbron in hem en dat is het bewustzijn van de aarde.

Het bewustzijn van de aarde, de bezieling van de aarde, wenst zich in zijn bewustzijn uit te drukken. Wanneer de mens na een lange groeiweg, waarin hij de nodige testen heeft ondergaan, de eenheid van zijn bewustzijn met het bewustzijn van het bezielende wezen van de aarde heeft verworven, wordt hij ingewijd in de loge van het innerlijk bestuur van de planeet Aarde: de Loge[20] van de Planetaire Hiërarchie.

De Planetaire Hiërarchie
Het werken in het innerlijk bestuur van de aarde

De zojuist ingewijde mens wordt toegelaten tot de eerste tak van de Universele Wereldregering. Door zijn Meesterschap over de Aarde heeft hij zitting genomen in de Loge van de Planetaire Hiërarchie. Hij wordt daar opgeroepen evoluerend te zijn voor de aarde, wier bewustzijn hij immers omvat, en voor alle daar gehuisveste levensvormen.

De mens kan alleen evoluerend voor de aarde en haar levensvormen zijn als hij in zijn mystieke verbinding hoger verticaal wil gaan zoeken om zijn bewustzijn en daarmee het bewustzijn van de aarde met het bewustzijn van de bezieling van de zon te voeden. Zo zal hij de aarde krachtiger bezielen en tot ontwikkeling brengen. Hij versterkt daarmee bovendien de samenwerking tussen de aarde, de zon en alle in het zonnestelsel levende levens-vormen.

De mens wordt zich het hierboven genoemde proces veelal niet echt bewust. Dit universele werk voltrekt zich meestal 's nachts via hem. Wel zal hij in zijn dagelijks bewustzijn opmerken dat zijn wezen regelmatig 'aangeraakt' wordt en dat er via hem kosmische energie (begeleid door de Planetaire Hiërarchie) in het leven wordt vrijgegeven. De mens zal dus voor een deel bewust, maar nog vaker onbewust, als universeel werker meehelpen aan de eenwording van het leven op aarde en in het zonnestelsel.

Daarnaast heeft de mens natuurlijk nog steeds de vrije keuze om ook op dit niveau direct gericht te werken door zijn vermogen tot transformatie en transmutatie. Hierin zal hij geleid worden door zijn levensomstandigheden en door zijn affiniteit, die op zijn beurt weer gericht wordt door zijn bewustzijnsontwikkeling.

De Ashram van het Zesde Wortelras
Het werken in het Beheer van het Leven
Wanneer de mens de leerprocessen in de Loge van de Planetaire Hiërarchie volbracht heeft, heeft hij Kosmisch Meesterschap verworven. Hij mag dan doorgroeien naar de tweede tak van het Beheer van de Materie: het Beheer van het Leven, die door de Ashram van het Zesde Wortelras[21] wordt begeleid. Zijn bewust-zijnsgroei wordt daar geïntensiveerd en hij klimt de sporten van de Jakobsladder van het Leven verder op om te leren op al zijn treden het leven universeel geleid te helpen beheren.

De mens brengt een aanzienlijke groei in de organismen van de Jakobsladder van het Leven met al zijn daarbij behorende levens-vormen. Dit geschiedt door de hechtere verbinding die hij tussen de diverse organismen bewerkstelligt, door de uitstraling van zijn bewustzijn (waardoor daar heel veel bewustzijn wordt gewekt en er transformatie wordt gebracht) en door het transporteren van kosmische informatie van hoog naar laag.

Op alle treden van de Jakobsladder verwerft de mens toegang tot de hiërarchieën en hij rijgt door middel van zijn bewustzijn een ketting tussen deze hiërarchieën, waardoor de kosmische energie en informatie beter doorstromen kan. Hij straalt de scheppingskracht die hij in zijn bewustzijn heeft blootgelegd uit op deze treden. Hij kan dat 's nachts laten gebeuren via de onbewuste uitstraling van zijn wezen of hij kan dat bewust doen in zijn meditatie, waardoor hij daar ook nog belangeloos of gericht transformeren kan. In deze fase zal de mens echter steeds bewuster leren samenwerken met zijn universele leiding, die vanuit deze Ashram aan de mens die in de loge mocht plaatsnemen wordt aangereikt.

Omdat hij tree voor tree zijn bewustzijn met hogere organismen verbindt en hij op een steeds hoger niveau werkzaam wordt en daarin steeds bewuster begeleid kan worden, groeit hij naar steeds zwaardere taken in het Beheer van het Leven. Dit gaat zo door totdat zijn bewustzijn het lagere zelf van de schepping omvat en hij in het Groot Kosmisch Meesterschap wordt ingewijd, waardoor hij mag doorstromen naar de Loge van de School van Elia, waar hij zal leren om in het Beheer van de Evolutie te gaan bijdragen.

De School van Elia
Het werken in het Beheer van de Evolutie
In het Beheer van de Evolutie (de derde tak van het Beheer van de Materie) vormt het inwijdingsprincipe eveneens de basis van de groei van de mens. De mens krijgt hier alleen grotere verantwoordelijkheden te dragen, omdat zijn bewustzijn reeds een heel deelgebied van de schepping omvat en hij daarin evoluerend wordt. Hij leert om met de kracht die hij in het hogere zelf van de schepping vindt de evolutie van haar lagere zelf, de materie, te bevorderen.

Veel van dit werk zal zich ook weer onbewust 's nachts afspelen, maar nu zal het zich nog veel vaker voltrekken via de aanraking

142

van het wezen van de mens, die zich daar nu steeds meer bewust van wordt. Door de begeleiding die de mens daarin ontvangt voelt hij veel bewuster dat zijn wezen ingezet wordt in het Plan van de Schepping en hij wordt zich steeds vaker bewust van het hoe en het waarom hiervan. Hij kan dan daarnaast heel gericht aanvullend transformeren c.q. transmuteren.

In de eindfase van het werken in de Loge van de School van Elia verwerft de mens het volledige Meesterschap over de Materie, het meesterschap over het lagere zelf van de schepping, waardoor hij volledig evoluerend in de materie zal zijn.

B. HET BEHEER VAN DE SFEREN

Op weg in het Beheer van de Sferen
Op weg in het beheer van de gebieden van de Geest
Nadat de mens Meesterschap over de Materie verworven heeft, mag hij de leerschool aangaan om ook meesterschap te verwerven over de geest. Hiermee wordt niet alleen bedoeld dat hij meesterschap zal verwerven over de eigen geest, maar over alles wat tot de Goddelijke Geest, het hogere wezen van de schepping, gerekend wordt.

Nadat de mens via zijn inwijdingsweg de materie overstegen heeft, wordt zijn inwijdingsweg doorgetrokken naar de gebieden van het leven die tot de Geest gerekend worden. Daarin wordt eveneens een driedeling onderscheiden. Deze zal zich uiten in drie typen van universeel werk voor de kosmische mens die dit gebied betreedt.

Nadat de mens de poort heeft mogen doorgaan die hem uit de geestelijke gebieden van het leven hield, belemmert niets hem meer om een 'hogere werker' voor het leven te worden. Hij mag dan de hogere scheppingsgebieden (de sferen) betreden om daar de voor hem weggelegde universele taken aan te gaan. Direct nadat hij de poort tot de Geest is doorgegaan ontsluit zich voor hem de universele begeleiding van de eerste tak van het Beheer van de Sferen: de Outer Core.

De Outer Core
De synthese van stof en geest
In de Outer Core is al het werk erop gericht om in de schepping de verbinding te verstevigen tussen de Geest en de materie. Dit werk zal de weg die de materie gaat afstemmen op de goddelijke bedoeling met die materie, die in de Geest van de schepping gevonden wordt.

De Outer Core is de bewaker van de materie en dient als haar behoeder, haar ziel. Al het werk dat de mens in de Loge van de Outer Core verricht, is daar volledig op afgestemd. Met zijn verworven meesterschap over de materie en zijn praktische ervaring binnen de materie is hij daar een geoefend werker. Hij staat in de materie en nu ook met één been in de Geest.

Hij is de verbindende schakel bij uitstek, niet in de laatste plaats omdat hij in de materie ook direct actief transformeren en transmuteren kan. Hij is de werker waarop sinds het ontstaan van de schepping gewacht is. Hij staat immers in beide disciplines: stof en geest. Daardoor kan hij in stof en geest verbindend en bovenal helend zijn. Volledig bewust werkend vanuit de universele leiding van de Outer Core zal hij daar dag en nacht in werkzaam zijn.

Met de eerste aquariusbekrachtigingen is er voor de mens een loge in de Outer Core geopend. Hij, die daar door zijn verkregen meesterschap over de materie op de deur klopt, is een welkome gast, omdat hij een instrument bezit dat de verbindende schakel tussen stof en geest is en door zijn transformaties de blokkades daartussen kan opheffen. Deze mens kan de synthese van stof en geest bevechten en het is juist deze synthese die in de Outer Core voor de schepping bewerkstelligd wordt.

144

In het Aquariustijdperk, waarin voor ál het leven de synthese tussen stof en geest bevochten wordt, zal er een ongekende activiteit heersen in de gelederen van de Outer Core. De kracht van de evolutie focust namelijk volledig op dit gebied. Om dit te dragen wordt de Outer Core dan ook door zeer grote meesters bevolkt, die in hun loges weer worden bijgestaan door de mens.

De mens is in de Outer Core het wezen dat de synthese van stof en geest tot in de materie brengt! Elk mens die de synthese van stof en geest aangaat, omdat hij nu het Meesterschap over de Geest mag verwerven, is daarom een uiterst belangrijk instrument in de schepping. Hij kan de bewustzijnstrillingen die het leven het hardst nodig heeft vanuit de materie (levend in de materie) versterken!

Van Outer naar Inner Core
Wanneer de mens in het werk dat hij voor de Outer Core mag doen gegroeid is, zal hij steeds verder ingewijd worden in de hogere mysteriën van het leven. Hij mag de volledige portee van het leven gaan begrijpen. De mystieke gebieden zullen voor hem geopend en toegankelijk gemaakt worden. Zijn mystieke vermogens zullen zich enorm ontwikkelen en de diepste inzichten omtrent het leven worden aan hem vrijgegeven.

De mens nadert dan snel de fase waarin hij zal opgaan in de Bron van Leven. Hij mag de mystieke Eenheid van de Bron leren dragen en beleven, maar hij mag bovenal de levensmysterieën, die nu volledig voor hem ontsloten worden, begrijpen.

De Akasha van de Bron van Leven opent zich dan en de mens mag uit deze Akasha leren putten voor informatie op welk gebied dan ook. Zijn 'Universeel Weten' wordt geopend, doordat hij toegang tot het universele reservoir van weten heeft gekregen, de Akasha van de Bron van Leven.

Alle mystiek daalt in in zijn geest. Al het weten wordt hem ontsloten. Het is aan hem om deze vanuit de eigen affiniteit, vanuit de eigen levensbedoeling, in te kleuren. Als mysticus heeft hij toegang tot de Bron van Leven gekregen en de tijd is aangebroken dat hij tot weer hoger werk wordt geroepen!

De Inner Core
Het Beheer van de Bron van Leven
In de tweede tak van het Beheer van de Sferen, in de Loge van de Inner Core, mag de mens vervolgens de Bron van Leven binnengaan, waar hij het eenheidsbewustzijn totaal zal beleven, omdat hij Eenheid geworden is. De mens heeft dan de dualiteit volledig overstegen. Hij heeft het Meesterschap over de Dualiteit verworven, hij kiest voor de Eenheid in hem.

Hij gaat nu op weg naar de totale realisatie van zijn menszijn, het leven vanuit de Eenheid van de Bron. Daartoe zal hij de Bron mogen verkennen en wordt hij geroepen om te werken in het Beheer van de Bron van Leven. Hij zal de universele lering die de Bron hem brengt volledig leren beheersen en integreren in zijn persoonlijkheid.

De totale realisatie van de Bron van Leven zal in zijn persoonlijkheid gedragen moeten worden, anders is er geen sprake van een totale synthese van stof en geest. Het avatarschap wordt zo in hem geboren, dat in het Aquariustijdperk bedoeld is om in de stof gebracht te worden en via de menselijke persoonlijkheid in de materie aan het werk te worden gezet.

De mens is pas werkelijk gerealiseerd als hij de Bron van Leven tot in de stof heeft gebracht en de scheppingskracht in de stof kan benutten. Hij werkt al jaren met transformatie, maar de tijd van transformatie door middel van de universele symbolen is dan totaal voorbij. Hij is nu immers Bron, hij is dag en nacht honderd procent universele transformatie! Hij is een avatar in de dop en hij mag leren aanspraak te maken op een nog hoger vermogen, namelijk het vermogen tot transmutatie.

Transmutatie, werken met de Bron van Leven
In de Loge van de Inner Core leert de mens te herscheppen vanuit de kracht van de Bron, hij leert te transmuteren. Vanuit zijn eenheid in de Bron zal hij de eerste fase van transmutatie aangaan, om daarmee datgene te hercreëren wat in de schepping niet meer aan de oorspronkelijk gegeven levensbedoeling beantwoordt. Zo helpt hij mee het leven alsnog aan die bedoeling te laten beantwoorden.

Hij mag als het ware met de rode pen langs het leven gaan om correcties aan te brengen waar het leven dreigt af te dwalen van zijn in de blauwdruk beschreven bestemming. Hij heeft de tijd van het leren transformeren van karma achter zich gelaten, want dat gebeurt nu automatisch via de uitstraling van zijn wezen. In de Loge van de Inner Core mag hij het leven helpen transmuteren vanuit de Eenheid die hij in de Bron van Leven aantreft. Daarmee is de mens een hulpschepper geworden.

Door het werken in de Loge van de Inner Core, door het verkrijgen van de toegang tot de mysteriën van het leven, door het verwerven van de toegang tot de Akasha van het Leven, doordat in hem het vermogen is ontsloten om te kunnen transmuteren en door de integratie van dit alles in de persoonlijkheid, realiseert de mens de Bron van Leven volledig in zichzelf. Deze realisatie maakt een avatar van hem.

Een avatar is de mens die meesterschap over het Leven heeft verkregen, omdat hij volledige eenheid verworven heeft in de Bron van Leven en deze tot in de stof werkzaam heeft gemaakt.

De Upper Core
De ontplooiing van de Bron van Leven

De nieuwe avatars worden vervolgens tot de derde tak van het Beheer van de Sferen, de Loge van de Upper Core, toegelaten om het leven tot ontplooiing te brengen. Zij zijn dienstbaar aan de ontwikkeling van de Bron van Leven, de Schepper. Zij helpen Hem Zijn hogere inwijdingen te bevechten en trachten door hun allesomvattend bewustzijn, dat nu de schepping overstijgen mag, de Schepper (de schepping) beter te verbinden met Zijn hogere organismen.

Zij zijn de ontwikkelingswerkers van het leven, de pioniers, die hogere levensimpulsen van ver uit de Einder geschikt trachten te maken, te transformeren, waardoor deze beter opgenomen kunnen worden in de schepping. Zij werken in de hoogste gebieden van de geest van de Schepper, om Hem te helpen Zich te verbinden met de impulsen die Hij in Zijn inwijdingen in hoger leven ontvangt.

Door dit werk verwerven zij het Meesterschap over de Geest, waardoor zij ook 'de staat van Zijn', de volledige transparantie van hun geest, bewerkstelligen. Deze staat van Zijn wordt het Utopia genoemd, de eindbestemming van de evolutie van de mens. Door deze eindbestemming binnen te gaan worden zij het werktuig dat alles wat evolueert in de schepping behulpzaam is bij die evolutie. Zij zijn hun opdracht het evoluerend beginsel in de schepping te zijn volledig aangegaan, om vervolgens de schepping zelf met hogere levenseenheden te helpen verbinden.

Een evoluerend beginsel mocht de mens zijn, voor al het leven in de schepping, maar ook voor de Schepper zelf! Daarvoor staan de meesters in de Upper Core, de hoogst ontwikkelde menselijke wezens in de schepping, garant!

7. DE EINDBESTEMMING VAN DE EVOLUTIE

De expanderende schepping
Onze schepping is een expanderende schepping. Dat wil zeggen dat zij de taak heeft om tot expansie, tot groei, te komen. Expansie is haar opdracht omdat zij een cel is van een expanderend orgaan van een nog groter geheel.

Het focuspunt van de expansie is het bewustzijn van de schepping. De schepping behoort namelijk tot het bewustzijn, de geest, van dat grotere organisme waar zij een cel van is. Alles wat leeft in de schepping kent daardoor als basis van zijn leven de kracht van bewustzijn. Kortom, de kracht van het leven is op bewustzijn gefundeerd dat tot expansie mag komen.

De mens in de expanderende schepping
In de schepping is de kracht van het bewustzijn het belangrijkste element. In verband hiermee kunt u begrijpen hoe belangrijk de mens is, die met zijn bewustzijn het evoluerend beginsel van de schepping is. Omdat zijn bewustzijn gelijkwaardig is aan het bewustzijn van de schepping kan hij hiermee de bewustmakende, expanderende kracht van de schepping dragen en vormgeven.

De mens is in een sleutelpositie geplaatst: hij is een bewustzijnscel van de schepping die door middel van zijn bewustzijn kan expanderen. Hij is een zeer hoogwaardig instrument, dat in een voor de schepping cruciale taak is geplaatst.

De mens wordt bijgestaan door de drijfkracht van de evolutie, die de evolutie in onze schepping richt op opgang en groei, op expansie. Het perpetuum mobile van opgang en groei wordt aangedreven door het expanderende bewustzijn van het grote organisme waartoe de schepping behoort. Het is de stuwkracht van dit bewustzijn die de drijfkracht van onze schepping richt en daardoor onze lotsbestemming bepaalt.

De schepping, een lichtschepping

Het grote organisme waarin de schepping functioneert, is een lichtschepping. Dit impliceert dat de expansie van ons bewustzijn een expansie naar steeds meer licht zal zijn. Wij zullen een steeds hoger bewustzijn van licht mogen uitstralen, om deze de basis van de expansie van de schepping te laten zijn.

De mens beklimt de Jakobsladder van het Leven om het licht in hem steeds verder te kunnen intensiveren en hij zal dan dat geïntensiveerde licht op alle niveaus van de schepping uitstralen. Uiteindelijk zal de mens in het lange proces van inwijding de schepping overstijgen om een nog sterkere lichtkracht in onze schepping door te laten dringen.

In het perpetuum mobile van opgang en groei is de mens het instrument dat opgang en groei kan bewerkstelligen, zelfs tot over de grenzen van onze schepping heen.

De bewuste incarnatie van de mens

Het feit dat de mens het vermogen heeft om zelfs onze schepping te helpen evolueren, betekent dat hij heel bewust met deze taak in de schepping is geïncarneerd en geïnvolueerd. Het impliceert dat hij van hoger dan deze schepping is gekomen. Bij zijn doelgerichte incarnatie kreeg hij de taak mee een evoluerend beginsel voor de schepping te zijn.

De taak en de roeping van de mens is van veel verder dan onze schepping gekomen en werd speciaal bekrachtigd om de schepping een veiligstelling, een borg, mee te geven op haar reis door de evolutie. Het leven en alle levensvormen die in de schepping gecreëerd werden, mochten niet verloren gaan. Ze waren bedoeld om behouden te blijven en de mens zou daarin bijdragen.

De mens en het Behoud van het Leven

Het is een gegeven dat in de evolutie al het leven wordt beschermd en dat er over zijn behoud wordt gewaakt. Om dit behoud te kunnen garanderen is er een ingewikkeld mechanisme bedacht, waarin de mens meewerkt. Het is zijn taak om als evoluerend beginsel het Behoud van het Leven met zijn vele levensvormen te garanderen.

In het Behoud van het Leven kent de mens de volgende taken:

1. Hij is de bewaker van de kosmische structuren, omdat hij door zijn bewustzijn de organismen verbinden kan.

2. Via zijn bewustzijn verzorgt hij het transport van kosmische energie en informatie van hoog naar laag en van laag naar hoog in onze schepping en daarbuiten.

3. Via zijn bewustzijn functioneert hij als transformator tussen de verschillende energieniveaus van het leven.

4. Hij is een bewustmakende, regulerende cel, die als evoluerend beginsel de voortgang van de evolutie bewaakt.

5. Hij is de kosmische veiligstelling in de evolutie, die het Behoud van het Leven garandeert.

De kosmische mens, de Behouder van het Leven

De kosmische mens is als een kameleon. Hij kan door zijn bewustzijn alle kleuren van de regenboog aannemen. Daardoor kan hij op alle niveaus van het leven aanwezig zijn. Zijn bewustzijn kan uitstulpen, maar het kan ook inkrimpen. Zijn inlevend vermogen is daardoor zó groot dat hij overal inzetbaar is om het leven tot opgang en groei te brengen.

Het was de speciale kracht van de mens, door zijn vermogen tot het inkrimpen van zijn bewustzijn, dat hij kon involueren in een nieuwe, wordende schepping met de taak deze schepping behulpzaam te zijn bij haar evolutie en te waken over haar behoud. De kosmische mens is de Behouder van het Leven, dat is zijn meest wezenlijke taak!

De oorsprong en de bestemming

In de bijbel is opgetekend dat Adam een rentmeester in het paradijs mocht zijn. Hij hielp met het Beheer van het Leven in het paradijs, dat ook zijn vele levensvormen kende. De kosmische mens, die de Bron van Leven in zichzelf ontsloten kreeg, heeft weer toegang tot het paradijs: de Eenheid die in de Bron van Leven ligt. Zo krijgt de mens ook weer toegang tot de hem oorspronkelijk gegeven taak een rentmeester, een behoeder van het leven, in het paradijs te zijn. Hij krijgt op dat niveau weer toegang tot zijn oorspronkelijk ontvangen taak van het Behoud van het Leven.

De cirkel is weer rond

Bij zijn creatie kreeg de mens de taak een Wachter van het Leven te zijn, hij werd in het Behoud van het Leven geplaatst. Hij moest zijn oorspronkelijk volmaakte staat die hij in het paradijs (zijn hogere oorsprong) kende, loslaten. Hij kreeg de opdracht te incarneren in een nieuwe, wordende schepping en het was de bedoeling dat hij daarin eerst volledig zou involueren tot in het diepste en laagste punt, de materie.

De mens maakte om die reden een enorme val in zijn bewustzijn. Hij liet zijn hoog geëvolueerde bewustzijn los en liet deze laag voor laag achter in de daarbij behorende lagen van de schepping. Zo vormde hij een mystieke verbinding met de oorsprong waar hij vandaan kwam. Deze mystieke verbinding werd uiteindelijk aangehecht aan het materiële wezen dat de mens worden mocht.

Zo werd de mens materie, waarin hij naast een stoffelijk lichaam ook een persoonlijkheid kreeg, zijn lagere zelf. Daarnaast kent hij ook zijn hogere zelf, zijn goddelijke persoonlijkheid, via welke hij door middel van de mystieke verbinding weer contact kan maken met de Bron van Leven, die zijn oorsprong is.

Deze mystieke verbinding wordt ook wel het levenskoord genoemd. Dit levenskoord kunt u in de materie als een koord zien waardoor het fijnstoffelijke met het grofstoffelijke verbonden is. In de geest kunnen we het plaatje veel duidelijker maken als u het levenskoord als een trechter ziet, waarvan de wijde kant uitmondt in de Jakobsladder van het Leven. Via zijn geest kan de mens deze Jakobsladder direct opgaan, om zo de val van zijn bewustzijn weer ongedaan te maken.

Bewustwording, de essentie van het leven
De bewustwordingsweg die de mens moet gaan is een essentiële poort om tot de waarheid van het leven te komen en de Bron van Leven, die deze waarheid omvat, in hem te ontsluiten.

De bewustwordingsweg reikt de mens de groei van zijn bewustzijn aan, waardoor hij de val van zijn bewustzijn weer ongedaan kan maken. Door deze weg te gaan kan hij ook weer bij zijn oorspronkelijke bij zijn incarnatie meegegeven levensopdracht aankomen en deze stap voor stap realiseren.

Bewust worden is de essentie van het leven, omdat het leven op bewustzijn is gefundeerd.

Expansie van het bewustzijn is de essentie van het leven, omdat de schepping op expansie is gefundeerd.

Als hoogste expressie van het leven mogen wij een bewust expanderend beginsel in het leven zijn om het leven tot opgang en groei naar meer licht te brengen.

Opgang en groei naar meer licht betekent in ons systeem behoud.

Als Behouder van het Leven zal de mens deze groei mogen nastreven.

Het is het doel van het leven van de mens om als opperwachter van het leven het Behoud van het Leven te realiseren door middel van zijn immer weer expanderend bewustzijn. Dat bewustzijn brengt al het leven tot opgang en groei naar meer licht, het brengt het naar het Behoud.

De eindbestemming van de menselijke evolutie
Het is de eindbestemming van de menselijke evolutie om in de schepping het Behoud van Leven te zijn. Dit betekent voor de mens dat zijn bewustzijn volledig één zal zijn met de schepping.

Daarna zal de mens slechts dienstbaar zijn om ook de schepping haar Behoud binnen te leiden, haar Utopia, haar hogere organisme, het einddoel van haar evolutie. Dit einddoel zal dan tevens ook het einddoel van de menselijke evolutie worden.

De goddelijke evolutie
Op dit niveau zijn de schepping en de mens volledig één, één in bewustzijn. Dan kan de mens de evolutiespiraal als menselijk wezen doorbreken, omdat zijn wezen volledig goddelijk geworden is, de Schepper gelijk.

De mens is dan weer teruggekeerd tot zijn goddelijke staat, hij is God gelijk. Hij mag daar het einddoel van zijn evolutie, zijn Utopia, verleggen. Hij mag als een God op weg gaan in zijn goddelijke evolutie om de God in hem tot expansie, tot evolutie, te brengen, de schepping in zich meenemend.

NABESCHOUWING

De symbiose van leven

Ogenschijnlijk lijkt de mens op zijn lange weg van involutie en evolutie niets gewonnen te hebben. Hij lijkt slechts dienstbaar aan het grote geheel te zijn geweest. Hij heeft gediend en gegeven en als werker keihard geploeterd om weer in de goddelijke Bron te worden opgenomen waar hij oorspronkelijk uitgekomen was.

De essentie van wat er met de mens is gebeurd is dat zijn bewustzijn expanderen mocht. Er mocht een nieuwe schepping ontstaan en het bewustzijnsniveau van deze schepping lag lager dan het oorspronkelijke bewustzijnsniveau van de mens. Door zich in deze nieuwe schepping te laten incarneren en elke vezel daarvan door zijn geploeter te doorleven kreeg de mens een messcherpe doorleving van dit bewustzijn en hoort dit nu ook tot zijn ervaringsveld.

Het bewustzijn van de mens stulpte uit tot een lager niveau. Het ging mee met de goddelijke uitstulping van het bewustzijn van het hogere organisme dat de mens eens uitgezonden had. Hij kreeg een lift om zijn eigen bewustzijn te verlengen en tot ontwikkeling te brengen. Hij mocht zo zijn bewuste ervaringswereld met één schepping vergroten.

Het nieuwe ervaringsveld dat de mens in zijn bewustzijn mocht opnemen was de ervaring van de dualiteit, de materie. Het menselijk bewustzijn is nu ook een materieel bewustzijn geworden. Dat is de winst die de mens voor zichzelf heeft behaald. En zoals er in het leven vaak sprake is van een symbiose van leven, vinden wij ook hier een symbiose: een symbiose waarin de mens het grotere organisme (de gastheer) dient, om er uiteindelijk zelf ook van te profiteren.

155

De Geest wordt in de materie gebracht

De mens mocht de materie doorspekken met bewustzijn; hij mocht de materie tot de Geest brengen, opdat de materie Geest zou zijn en aan haar goddelijke bestemming zou kunnen voldoen. Zij mocht materieel vormgegeven Geest zijn.

De Schepper heeft zo Zijn creatie met het fenomeen materie uitgebreid en de materie heeft Zijn Geest ingeademd met behulp van de kosmische mens.

Geestelijke bewustwording is daarom het doel van uw leven. U mag immers de materie tot de Geest brengen, opdat ook zij behouden zal zijn!

APPENDICI

APPENDIX I
DE OPBOUW VAN DE MENS

a. Het Vissentijdperk, de aardemens

Het leven op aarde was in het Vissentijdperk gefundeerd op een zevenvoudig bewustzijn. Zowel de aarde als de mens kende daarom een zevenvoudig bewustzijn. Met dit zevenvoudig bewustzijn kon de mens de lagere aard van het leven doorleven, wat toen zijn evolutiebestemming was. De vissentijdperkmens ook wel 'de aardemens' genoemd is als volgt opgebouwd:

DE AARDEMENS

Het lagere zelf, de persoonlijkheid
1. het grofstoffelijk lichaam
2. het energetisch lichaam   ⎱ hierin bevindt
3. het emotioneel lichaam   ⎰ zich het ego

Het hogere zelf, de goddelijke persoonlijkheid
4. de ziel
5. het christusbeginsel   ⎱ de geest
6. de goddelijke vonk   ⎰
7. de hogere geest

b. Het Aquariustijdperk, de kosmische mens

In de aanzet naar het Aquariustijdperk maakte de mens een evolutiesprong, zijn bewustzijn onderging een flinke mutatie om ook de hogere aard van het leven te kunnen doorleven. Hij kreeg een dertienvoudig bewustzijn, waarin hij het goddelijk bewustzijn dragen kan. Deze dertienvoudige mens wordt de kosmische mens genoemd, de aquariusmens.

In de akasha (het levensfluïdum) van de kosmische mens is door deze mutatie een poort gevormd naar de akasha van de Bron van

Leven. In de mens werden eerst zes bewustzijnsgebieden ontsloten en daarna kon de toegang tot de akasha van de Bron van Leven geopend worden. Het dertienvoudige bewustzijn van de kosmische mens vormt een mystieke verbinding, die via de nu geopende poort tot in de Bron van Leven reikt.

Zoals u begrijpt, kende de aardemens deze verbinding niet. De kosmische mens kent deze echter wel. Hij krijgt daardoor de mogelijkheid de bewustzijnsgebieden van de Bron van Leven in zijn bewustzijn te integreren. De Bron kan zo zijn dertien scheppende krachten overdragen aan de overeenkomstige bewustzijnsgebieden van de kosmische mens, die het vermogen hebben deze scheppingskracht te kunnen dragen. Zo is tussen de mens en de Bron een symbiose van leven ontstaan, waarvan beide organismen kunnen profiteren.

De kosmische mens ziet er als volgt uit:

DE KOSMISCHE MENS

1. de Witte Roos	
2. de Kristallijnen Diamant	voor het verzorgen van
3. de Witte Lelie	het individuele leven
4. de Ark	
5. de Graal	
6. de Kristallijnen Kroon	voor het verzorgen van
7. de Kristallijnen Lotus	het leven
8. de Witte Zwaan	
9. de Gouden Zon	
10. de Witte Iris	voor het laten voltrekken
11. de Dubbele Ster	van de evolutie
12. de Gouden Zon met de Witte Iris	
13. de Vlammende Gouden Zon	

Van aardemens naar kosmisch mens

Door de grote mutatie die het bewustzijn van de mens heeft ondergaan is in principe elk mens in staat om als kosmisch mens te leven. Heel veel mensen hebben echter nog zo'n laag bewustzijn en ze zijn nog zo sterk in de greep van hun lagere aard dat het kosmisch menszijn nog slechts sluimerend in hen aanwezig ligt. Willen deze mensen ook aanspraak kunnen maken op hun nieuwe erfgoed, dan moet het vlies tussen aardemens en kosmisch mens eerst nog doorbroken worden.

Door de weg van bewustwording aan te gaan komt de mens vanzelf op het punt waar het vlies tussen aardemens en kosmisch mens doorbroken wordt. Hij zal dan ook de beschikking krijgen over zijn hogere bewustzijnsgebieden, die hem zijn vele nieuwe mogelijkheden aanreiken.

In de overgangsfase van aardemens naar kosmisch mens kunnen we onderscheiden dat de een nog als aardemens functioneert en de ander reeds als kosmisch mens. Wij kunnen dat in zijn spirituele wezen zien, maar we kunnen het ook waarnemen in de gerichtheid en de gesteldheid van zijn genen. Natuurlijk kunnen we het ook opmaken uit zijn manier van leven.

Het integratieproces van de kosmische mens in de aardemens

De zevenvoudige aardemens kent als eerste opdracht zich bewust te worden van zijn zevenvoudige gesteldheid en de opsplitsing van dit wezen in een lager en een hoger zelf. Hij zal zijn hogere aard eerst moeten onderkennen om het lange bewustwordings- en integratieproces van het hogere in het lagere zelf aan te kunnen gaan.

In dit integratieproces zal hij eerst het bewustzijnsniveau van zijn zielewezen mogen integreren in zijn persoonlijkheid. Na dit proces mag hij op weg gaan in de integratie in zijn persoonlijkheid van zijn christusbeginsel en vervolgens van zijn goddelijk beginsel (de goddelijke vonk en de hogere geest).

De heelwording in zijn aardemenszijn is dan bevochten en de mens is gereed om als heel geworden aardemens de impulsen van het hogere goddelijke bewustzijn, dat hij tot nu toe latent in zich droeg, te gaan integreren. De indaling van zijn kosmisch wezen in zijn materieel wezen kan dan beginnen. De kosmische mens zal gaan indalen in de aardemens die hij tot op dat moment was.

In het Aquariustijdperk is elk mens geroepen een kosmisch mens te zijn, maar in welk tempo dat aan hem ontsloten wordt, ligt geheel en al in zijn eigen hand.

APPENDIX II
WENKEN VOOR MEDITATIE

Meditatie is een proces dat wij ons eigen moeten maken, het is door de gejaagdheid van ons bestaan namelijk onnatuurlijk geworden. Wij gunnen ons nauwelijks meer de tijd eens rustig te ontspannen, laat staan om in te keren in onszelf. Wij hebben geen affiniteit meer met rust en stilte. We houden onszelf door onze neiging tot overactiviteit voortdurend gebonden, maar juist in de stilte kan het meest waardevolle tot ons komen.

De voorbereiding op de meditatie
Voorafgaande aan een meditatie kunt u, als het mediteren voor u nog heel moeilijk is, bijvoorbeeld een wandeling maken. Een wandeling in de natuur brengt rust, mits u geen zware gesprekken voert. Laat de rust van de natuur op u inwerken, laat het kabbelen van de golven of het ruisen van de wind het voorbereidende werk maar voor u doen. U kunt eventueel buiten mediteren, wanneer u daar tenminste echt ongestoord kunt zitten.

Wilt u liever thuis mediteren, doe dat dan op een moment dat u verwacht enige tijd ongestoord te zullen blijven. Het is verstandig om de stekker uit de telefoon te trekken en eventueel de bel af te zetten, zodat u ook daadwerkelijk ongestoord blijft.

De houding
Bij een meditatie is het het beste om goed rechtop te zitten. Maak de ruggegraat goed recht, opdat de opgedane kracht het gehele lichaam kan doorstromen. Het is onverstandig om liggend te mediteren, tenzij u bijvoorbeeld bedlegerig bent. Het is namelijk veel moeilijker om liggend te mediteren, niet in de laatste plaats omdat u dan makkelijk in slaap valt.

Goed rechtop zittend, zet u de beide voeten naast elkaar op de grond, zodat u geaard bent. De handen legt u ontspannen naast elkaar op schoot. Kruis uw armen nooit voor de borst of over de maag, want dan sluit u zich af voor hetgeen u juist graag wilt ontvangen.

De ontspanning van het lichaam

Als u goed recht en geaard zit, ontspant u het lichaam volledig. Controleer in gedachten al uw spieren en laat de spanning op uw spieren zo veel mogelijk los. Let bijvoorbeeld ook op uw schouders. Houd ze niet opgetrokken, maar ontspan ze. Let op uw kaken, uw ogen, uw tong, uw gezicht, tracht ook daar de spanning maar los te laten. Het lichaam moet zo goed mogelijk ontspannen zijn, opdat het u niet hindert. Maak ook knellende riemen, boorden en dergelijke los.

Sluit vervolgens uw ogen om zo min mogelijk door uw omgeving gehinderd te worden. Haal een paar keer heel rustig en diep adem om verder tot rust te komen, daarna kan de meditatie in principe beginnen.

N.B. Mensen die bekend zijn met yoga zouden eerst de yoga-ontspanning kunnen doen, eventueel met ademhalingsoefeningen, om vervolgens de meditatie te beginnen.

De ontspanning van de geest

Als u zich heel erg gespannen voelt, is het plezierig om eerst nog wat meditatiemuziek te beluisteren of verstillende New Age muziek. Ook rustige klassieke muziek kan u helpen uw geest tot rust te brengen. De malende gedachten en de indrukken van de dag die in u rondtollen nemen dan af, zodat u naar lichaam en geest ontspant en u reeds enigszins naar binnen keert.

De visualisatie

Nu bent u klaar voor de meditatie en kunt u beginnen met bijvoorbeeld de Witte Roos of een ander universeel symbool (zie Appendix III) te visualiseren om u met de Bron van Leven te verbinden. Denkt u eerst krachtig aan het door u gekozen symbool. Soms ontstaat er dan spontaan een beeld in uw gedachten, houd dit gedachtenbeeld dan vast in uw geest. Door met dit beeld verbonden te zijn, induceert u de universele scheppingskracht die dit symbool vertegenwoordigt en die zal zijn kracht dan in u vrijgeven.

Na een tijd verdwijnt het beeld en merkt u dat u er niet goed meer bij kunt blijven. Dit is een normaal proces, u hoeft niet krampachtig met het symbool bezig te blijven, het heeft u dan waarschijnlijk al genoeg naar binnen getrokken. Mocht u echter het gevoel hebben echt te ver af te dwalen, neem dan maar zo af en toe het symbool nog eens in uw gedachten. Vindt u dat u te snel afdwaalt, wind u er zich dan vooral niet over op! De onrust die uw opwinding brengt, werkt namelijk averechts.

Het onvermogen tot visualiseren

Kunt u de symbolen niet goed visualiseren, weet dan dat slechts de gedachte aan een symbool al werkt. In uw bedoeling ligt reeds de oproep naar de scheppingskracht. Deze zal door uw oproep reeds zijn werk aan u beginnen te verrichten. Uw bewustwording wordt daardoor al direct geïnitieerd of versneld.

Het zou u kunnen helpen een echte witte roos of een witte kelklelie te kopen of een plaatje op te hangen van een diamant of een boot die voor u op een ark lijkt. Dit helpt u om makkelijker contact met het gewenste symbool te maken. Maar kunt u geen beelden visualiseren, ziet u dus niets, dan is dat echt geen ramp. Alleen al de gedachte aan het symbool is immers reeds voldoende om zijn werkzaamheid te garanderen!

De tijdsduur van visualisatie en meditatie

Mediteer vooral niet te lang, in totaal tien minuten is genoeg. U visualiseert enkele minuten actief en laat de beelden vervolgens los om een minuut of vijf in stilte in de energie die is ontstaan te verblijven. De meditatie bestaat uit een actief deel, de visualisatie, en uit een passief ontvangend deel, de stiltemeditatie. Wanneer u reeds een ervaren rot op dit gebied bent, kunt u eventueel langer in meditatie blijven, maar om te beginnen is een minuut of tien genoeg.

De stiltemeditatie

Na een aantal minuten stopt u met de visualisatie en gaat u over op de stiltemeditatie. U blijft dan gewoon stil (inactief) in de gecreëerde rust zitten om de energie die u heeft opgeroepen te kunnen ontvangen. Deze kan dan zijn ontplooiiend werk aan u verrichten. De stiltemeditatie is vooral voor uw bewustzijnsontwikkeling bestemd.

Na de meditatie zult u zich meestal fit en ontspannen voelen, maar het werkelijke resultaat ervan kristalliseert doorgaans pas later uit. Flitsen van bewustwording dalen dan in en de hand van uw leiding laat zich zien in de dingen die met u in uw leven gebeuren.

Innerlijke leiding

In de stiltemeditatie kunt u ook direct impressies ontvangen die de innerlijke leiding aan u vrijgeeft. Deze kunnen zich uiten in een gedachteflits, een gevoel, een weten of een beeld. Soms ziet u alleen wat kleuren, maar meestal ziet u in de stiltemeditatie gewoon niets. De energie werkt slechts aan u en de meditatie brengt u een diepe, verkwikkende rust.

Bent u reeds gevorderd, dan zal in de stiltemeditatie een dialoog tussen u en uw innerlijke leiding op gang kunnen komen. Het is echter goed te beseffen dat het communiceren met de innerlijke leiding niet het hoofddoel van uw meditatie is. Het meest wezenlijke is en blijft de ontwikkeling van uw bewustzijn.

Als uw wens om met de innerlijke leiding in contact te komen heel sterk is, kan u dat behoorlijk blokkeren. Het is juist de bedoeling dat u in de meditatie zo veel mogelijk loslaat om onbevangen open te staan voor wat spontaan naar u toe wil komen. Uw wens de innerlijke leiding te willen bereiken blokkeert u dan juist.

Meditatie en transformatie

1. Meditatie zonder transformatie

In niet elke meditatie zult u willen transformeren. Na de visualisatie en de stiltemeditatie bouwt u dan uw meditatie af zoals in 'het afsluiten van de meditatie' is aangegeven. Door het visualiseren van de universele symbolen hebt u van uw meditatie een universele meditatie gemaakt. Dat wil zeggen: u hebt uw meditatie op de Bron van Leven gericht. Op deze manier hebt u een zeer zuivere vorm van meditatie beoefend.

2. Meditatie met transformatie

Bent u echter wel de meditatie ingegaan met het doel te transformeren, dan kunt u uw actieve transformatie bijvoorbeeld inlassen nadat u zich door uw visualisatie op de Bron van Leven hebt gericht. Voordat u de stiltemeditatie inglijdt, kunt u uw transformaties doen op de wijze zoals in hoofdstuk vier beschreven is. Door het loslaten van het proces van transformatie glijdt u automatisch de stiltemeditatie in, die u eventueel nog extra kunt richten door middel van een door u gekozen universeel symbool.

3. Meditatie, transformatie en uw bewustwordingsweg

Meditatie is het hulpmiddel dat de mens ter beschikking staat om zijn weg van bewustwording te versnellen en juister te richten. Wanneer meditatie bovendien gekoppeld wordt aan transformatie kan de mens zijn bewustwordingsprocessen direct transformeren, waardoor deze met veel minder lijden gepaard gaan en veel soepeler en sneller zullen verlopen.

Een andere belangrijke reden om meditatie aan transformatie te koppelen, ligt in het feit dat de meditatie door transformatie velen malen krachtiger zal werken. De wisselwerking meditatie/transformatie zorgt ervoor dat de mens een directe snelweg neemt naar het doel van zijn bewustwording: de realisatie van de Bron van Leven in hemzelf.

4. Meditatie/transformatie zonder de universele symbolen
De mens die zeer gevorderd is op het pad van meditatie zal merken dat hij, doordat hij regelmatig mediteert, op een gegeven moment de universele symbolen niet meer nodig heeft om zich met de Bron van Leven te verbinden. Het pad van meditatie is dan al zo ingesleten en zijn bewustzijn is dan al zo vergroeid met de Bron, dat hij direct zonder te visualiseren de Bron van Leven kan inglijden en van daaruit zonder symbolen transformerend aan het leven kan bijdragen (zie ook H 5).

Het afsluiten van de meditatie
U begrijpt dat aangezien uw meditaties zeer krachtig kunnen zijn het heel belangrijk is dat u uw meditaties ook weer afbouwt. U hebt tijd nodig gehad om de diepgang op te bouwen, maar het is net zo belangrijk om de tijd te nemen om weer langzaam terug te komen naar het trillingsgetal van uw dagelijks bewustzijn.

Voor het terugkeren uit uw meditatie laat u gewoon uw innerlijke gerichtheid, uw innerlijke fixatie, los. U zult dan vanzelf langzaam naar de oppervlakte getrokken worden. Dit proces zal wel enige minuten in beslag nemen, net zoals u die ook nodig hebt gehad toen u inkeerde. Het proces om weer naar het dagelijks bewustzijn terug te komen verloopt echter veel makkelijker dan het proces van het inkeren naar binnen.

U kunt uzelf helpen om uit de meditatie te komen door uw vingers wat te bewegen, uw benen te strekken en u eens lekker uit te rekken. Zo maakt u weer bewust contact met uw lichaam en komt u weer bij de dagelijkse realiteit. Het kan ook heel fijn zijn om daarna even te gaan liggen om uw indrukken van de meditatie te kunnen verwerken en langzaam moed te scheppen de dagelijkse beslommeringen weer aan te gaan.

Neem aan het einde van een meditatie nooit plotseling de telefoon aan of hol even snel naar de bel. U zult dat als heel onplezierig ervaren, het kan zelfs hoofdpijn veroorzaken. Langzaam gaat u de meditatie in en langzaam komt u er ook weer uit. Zo profiteert u het meest van haar helende werking en kunt u de rust zo lang mogelijk vasthouden en de opgedane kracht zo goed mogelijk benutten.

U blijft bewust en alert

Het is goed om te weten dat u tijdens de meditatie volledig alert en bewust blijft en dat u alle geluiden om u heen zult blijven horen. Tracht ze te aanvaarden, nergens in deze maatschappij is het immers echt stil. Door geen aandacht aan geluiden te besteden, zult u merken dat u ze op den duur niet meer hoort, ze worden dan opgenomen in het patroon van uw meditatie. U merkt ze dan pas weer op als ze plotseling wegvallen. Bent u echter erg gevoelig voor lawaai, tracht dan een rustig moment van de dag te benutten of gebruik oordopjes. Besef echter dat meditatie een patroon in uw gewone dagelijkse leven wil zijn en daar horen geluiden bij.

Meditatie is geen plicht

Meditatie mag nooit een routinematige plicht worden. Onderschat de kracht van een meditatie die geïnduceerd is door de universele symbolen niet, u werkt dan immers met de scheppingskracht! Deze is weliswaar liefdevol en voor uw heil aan het werk, maar een overbelichting van uw spirituele centra kan tot moeheid, overemotionaliteit en prikkelbaarheid leiden. In deze is het gerechtvaardigd de mens te waarschuwen die uit overmatige plichtsbetrachting het mediteren en transformeren langzaam maar zeker als dagtaak begint op te vatten!

Meditatie leidt tot het beste resultaat wanneer u het gevoel hebt: 'ik heb er zin in'. Wanneer u vanuit uw innerlijk gevoel werkt, dan zal dat gevoel namelijk steeds zuiverder worden en u uiteindelijk tot de juiste hoeveelheid meditatie leiden. Een aanmoediging is slechts op zijn plaats voor hen die door hun drukke leven moeilijk tot mediteren kunnen komen. Een zekere routine en discipline zal hen zeker helpen om eraan toe te kunnen komen.

Is er een maat voor meditatie?
Twee tot drie keer per week aan het werk met de universele scheppingskracht is voldoende om een aanzienlijke versnelling in uw groei en een flinke verzachting in uw levensomstandigheden te brengen. U kunt dan uw problematiek belichten, uw bewustwording versnellen en de scheppingskracht belangeloos door u heen in uw omgeving en in het leven uitstralen.

Wenst u meer te mediteren, hanteer dan steeds de stelregel dat indien u overemotioneel of prikkelbaar wordt, u een aantal dagen stopt met mediteren. Dan kunt u eerst rustig alles verwerken, zodat u weer met plezier aan de slag kunt. U zult hier uiteindelijk een eigen evenwicht in vinden, het evenwicht dat bij u en uw omstandigheden past.

APPENDIX III

Voor het individuele leven:
1. de Witte Roos
2. de Kristallijnen Diamant
3. de Witte Lelie (kelklelie)
4. de Ark (boot)

Voor het leven:
5. de Graal (kelkbeker)
6. de Kristallijnen Kroon
7. de Kristallijnen Lotus
8. de Witte Zwaan

Voor de vervulling van het leven:
9. de Gouden Zon
10. de Witte Iris
11. de Dubbele Ster
12. de Gouden Zon met daarin de Witte Iris

De Alomvattendheid:
13. de Vlammende Gouden Zon

Voor de vervulling van de aquariusevolutie:
de Gouden Kroon

APPENDIX IV
DE CHAKRA'S VAN DE KOSMISCHE MENS

Het wezen van de chakra's
In een chakra wordt een werveling van energie waargenomen. Chakra's zijn namelijk wielen die energie transporteren. Het zijn de kosmische transformatoren die ervoor zorgen dat de energie van een hogere bewustzijnsfrequentie vertrapt wordt naar een energieniveau met een lagere frequentie. Het is hun taak op die manier het ene bewustzijnsniveau met het andere te verbinden.

De doorstroming van kosmische energie wordt in het leven verzorgd door miljarden chakra's, miljarden knooppunten, wielen die dit energietransport tot taak hebben.

Een chakra is een energieknooppunt dat zorgt voor de transformatie van kosmische energie.

Grote en kleine chakra's
In de chakra's onderscheiden wij twee niveaus: de hoofdchakra's en de kleine chakra's. In ons lichaam kennen we heel veel kleine chakra's. De aardemens kent echter slechts zeven hoofdchakra's en de kosmische mens dertien (fig. 1). Deze kent immers dertien bewustzijnsgebieden en de aardemens slechts zeven. De hoofdchakra's transporteren de energie van bewustzijnsgebied naar bewustzijnsgebied. Ze kennen in ons lichaam een vaste plaats, die wij waarnemen als een lichtend wiel.

Het bewustzijn werkt via bijna alle hoofdchakra's door tot in het stoffelijk lichaam. Voor deze hoofdchakra's geldt dat ze de verbindingspoorten tussen stof (lichaam) en geest (bewustzijn) zijn. Op dit niveau kan een chakra als volgt gedefinieerd worden:

Een chakra is de verbindingspoort tussen lichaam en geest.

FIG. 1: DE CHAKRA'S VAN DE KOSMISCHE MENS

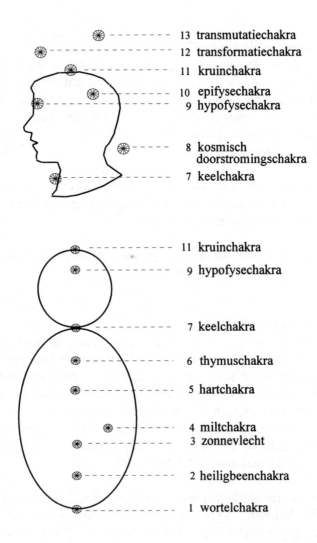

13 transmutatiechakra
12 transformatiechakra
11 kruinchakra
10 epifysechakra
9 hypofysechakra

8 kosmisch
   doorstromingschakra
7 keelchakra

11 kruinchakra
9 hypofysechakra

7 keelchakra

6 thymuschakra

5 hartchakra

4 miltchakra
3 zonnevlecht

2 heiligbeenchakra

1 wortelchakra

Een gezonde geest, een gezond lichaam

Uit het feit dat chakra's de verbindingspoorten tussen het stoffelijk lichaam en de geest zijn, blijkt dat er een correlatie tussen de geest en de stof bestaat. De kracht van de geest bepaalt de kracht van de spirituele voeding die naar de stof stroomt. Wanneer er geen blokkades zijn, zal de bewustwording die u via uw geest verwerft direct een positieve stimulans geven aan (de gezondheid van) uw lichaam.

Door de weg van bewustwording aan te gaan zorgt u ervoor dat de verlichting die u ophaalt, uitkristalliseert tot in de stof. Het is een basiswet van het leven dat bij een gezonde geest een gezond lichaam hoort.

Wat is gezondheid?

Gezond wil zeggen bewust: bewust zijn van je taak. Elke cel in het lichaam die bewust is, zal aan de bedoeling van zijn leven voldoen en zal daardoor juist functioneren. Gezondheid is gebaseerd op het uitgebalanceerd zijn van alle levende wezens (cellen, weefsels, organen enzovoort) in het lichaam.

Een mens is zelf verantwoordelijk voor de gezondheid van zijn lichaam. Hij kan zijn bewustzijn verhogen en door zijn nieuwe weg van bewustwording kan hij de blokkades die hij op deze weg tegenkomt transformeren. Hij is het eindverantwoordelijke wezen dat de levende wezens in zijn organisme gezond houdt door het huishouden in zijn wezen op orde te houden.

Voor elke cel in uw wezen bent u het eerste station van hun goddelijk wezen (God). Dit kunt u vergelijken met het feit dat u op uw bewustwordingsweg als eerste het wezen van de aarde in uw bewustzijn ontmoet.

Microkosmos en macrokosmos

U bent bepalend in uw wezen. U bent God voor uw wezen. U

DE DOORWERKING VAN DE CHAKRA'S
OP HET STOFFELIJK LICHAAM

CHAKRA	FUNCTIE IN HET LICHAAM
1. Wortelchakra	wervelkolom, nieren, bijnieren cortisonproductie
2. Heiligbeenchakra	geslachtsorganen, geslachtshormonen
3. Zonnevlecht	spijsvertering, maag, darmen, lever, gal, alvleesklier, insulineproductie blaas en urinewegen spieren, motoriek
4. Miltchakra	milt, botten, beenmerg, bloed vorming van bloedplaatjes filter van kosmische energie
5. Hartchakra	hart, bloedsomloop, bloeddruk
6. Thymuschakra	thymusklier, thymushormonen afweermechanisme, weerstand
7. Keelchakra	keel, huid, stem, longen en bronchiën, schildklier
8. Kosmisch doorstromingschakra	onderlinge afstemming van de organen bioritme meridiaanstelsel
9. Hypofysechakra	ogen, oren, neus en holten hypofyse en diens hormonen regeling van de endocriene klieren
10. Epifysechakra	epifyse en diens (spirituele) hormonen
11. Kruinchakra	hersenen, zenuwstelsel, geheugen
12. Transformatiechakra	lymfestelsel, slijmvliezen vochtregulatie, celwerking (osmose)
13. Transmutatiechakra	zorgt voor de samenhang in het lichaam bindweefsel en steunweefsel

draagt een grote verantwoordelijkheid voor elke cel. Uw lichaam is uw microkosmos en daarnaast functioneert u in de grote macrokosmos om u heen.

Voor de macrokosmos en de microkosmos gelden dezelfde kosmische wetten. Door bewustwording helpt u mee om de macrokosmos gezond te houden en door diezelfde bewustwording houdt u elke cel in u aan het werk om aan zijn oorspronkelijk gegeven levensopdracht te voldoen. U houdt daardoor uw microkosmos gezond.

De microkosmos en de macrokosmos zijn met elkaar verbonden. De chakra's zijn de wielen, de transformatoren, die dat wat u in de macrokosmos verwerft doorgeven aan uw microkosmos. De chakra's zijn de vertaalstations van uw geest. Door meer macrobewust te worden, wordt u ook sterker microbewust en zult u door de wisselwerking van stof en geest niet alleen de macrokosmos gezond houden, maar ook uw microkosmos, uw lichaam.

Ziekten
Wanneer uw lichaam onverhoopt toch ziek wordt, is dat voor u een aanwijzing dat u blokkades hebt naar de doorwerking van de geest op de stof. U verzet zich dan onbewust tegen een bepaald geestelijk aspect en zijn doorwerking op uw leven in de materie. Door de aard van uw ziekte te bestuderen (bijvoorbeeld met behulp van de in deze appendix opgenomen tabellen) krijgt u een aanwijzing van de aard van uw blokkades en kunt u deze transformeren. Het onderliggende karma dat tot uw ziekte (uw blokkade) heeft geleid wordt dan getransformeerd, waardoor u weer verder kunt op uw bewustwordingsweg.

Ziekten als richtingaanwijzer
Ziekten zijn uw richtingaanwijzers. Zij zijn de noodventielen waardoor u geestelijk stoom kunt afblazen. De geestelijke druk waaronder u staat en die u van een goed kosmisch functioneren

DE DOORWERKING VAN DE GEEST VIA DE CHAKRA'S OP DE MENS	
CHAKRA	**GEESTELIJK ASPECT**
1. Wortelchakra	realisatie in de materie
2. Heiligbeenchakra	verlangens en begeerten seksuele behoefte het dragen van verantwoordelijkheid schuldgevoel
3. Zonnevlecht	persoonlijke bevestiging daad- en wilskracht persoonlijk gebonden emoties altruïsme verstandelijk denken
4. Miltchakra	onderscheidingsvermogen vermogen tot overgave
5. Hartchakra	gevoelsleven, helder voelen vertrouwen zelfvertrouwen en zelfrespect vermogen tot het geven van liefde uitstraling van kosmische energie
6. Thymuschakra	de poort tot de kosmische mens in u vermogen tot het uitvoeren van de universele taken
7. Keelchakra	individuele expressie, creativiteit communicatie, innerlijke leiding omvormen van bewustzijn (inspiratie) tot begrip om het denken te voeden
8. Kosmisch doorstromingschakra	vertaalt de goddelijke doorstroming; zet deze om in een lager trillingsgetal om hem geschikt te maken voor de stof
9. Hypofysechakra	(kosmisch) inzicht, helder zien
10. Epifysechakra	de zetel van de mystieke vermogens toegang tot de Akasha van het Leven innerlijk schouwen
11. Kruinchakra	brengt de komische impuls de innerlijke mystieke verbinding binnen helder weten
12. Transformatiechakra	het toelaten van verandering (genade) vermogen tot transformatie neutralisatie van karma
13. Transmutatiechakra	het scheppende vermogen van de mens vermogen tot transmutatie (hercreatie)

afhoudt, wordt via de chakra's vertaald (verdicht) tot een stoffelijke kwaal. Naast dat u deze kwalen stoffelijk (regulier) kunt bestrijden, kunt u op zoek gaan naar de spirituele achtergrond van deze kwaal om deze op geestelijk niveau ook op te gaan lossen.

Hierin geldt de wet: hoe zwaarder de geestelijke druk is en hoe langer deze druk geduurd heeft des te dieper heeft deze in kunnen vreten in uw lichaam en in uw maatschappelijke omstandigheden. Hoe sneller u uw klachten opspoort en aangaat en hoe fijnstoffelijker u deze aanpakt des te sneller zult u van uw kwaal, maar vooral van de geestelijke oorzaak van de kwaal afkomen.

Wanneer u uw kwaal slechts met grove middelen bestrijdt (onderdrukt), zult u niet de spirituele component raken. De genezing van de mens kan pas totaal zijn als stof en geest tot op de bodem genezen worden, dat wil zeggen op het niveau van zijn karmische component. Dit kunt u door naast de stoffelijke reguliere of alternatieve behandeling ook te transformeren op het onderliggende karma. Dit kunt u aanvullen met bewustmakende therapieën, waardoor u van herhaling verschoond zult blijven.

Holistisch genezen
Holistisch genezen van de mens ontstaat wanneer we gelijktijdig:

1. Het lichaam ondersteunen (regulier of alternatief)
2. De geest ondersteunen (bewustwording)
3. Het karma transformeren (transformatie)

De weg van bewustwording door transformatie, die u in dit boek wordt aangereikt, brengt u een prachtige holistische ondersteuning om uw lichamelijke ongemakken (naast medische begeleiding) te lijf te gaan. U hebt uzelf dan op een compleet dieet gezet om weer volledig gezond te kunnen worden. Gezond naar lichaam en geest; bewust naar microkosmos en macrokosmos.

VERSTORINGEN IN DE CHAKRA'S	
CHAKRA	AFWIJKING
1. Wortelchakra	te grote gebondenheid aan de materie verslaving afwijzen van zichzelf, de materie en het leven; niet geaard zijn haat, agressie naar anderen
2. Heiligbeenchakra	seksuele afwijkingen en excessen teveel willen, zelfoverschatting onverantwoord gedrag schuldcomplexen
3. Zonnevlecht	overactiviteit, overemotionaliteit gebonden zijn, plichtsbetrachting egoïsme
4. Miltchakra	verstoken zijn van (kosmische) energie gebrek aan levenslust gebrek aan inspiratie
5. Hartchakra	verstoringen in het gevoelsleven gebrek aan zelfvertrouwen/zelfrespect niet kunnen geven of ontvangen
6. Thymuschakra	niet openstaan voor verandering starheid, dogma
7. Keelchakra	onvermogen zich te uiten, slechte communicatie met anderen verstoken van innerlijke leiding gebrek aan creativiteit
8. Kosmisch doorstromingchakra	afgesloten zijn voor impulsen uit het onderbewuste
9. Hypofysechakra	gebrek aan dieper inzicht in het leven gebrek aan levensmotivatie depressie
10. Epifysechakra	gebrek aan universeel (mystiek) inzicht kan zichzelf niet plaatsen in het grote geheel
11. Kruinchakra	afgesloten zijn voor de innerlijke lei- ding en zijn universele berichtgeving
12. Transformatiechakra	onbewust van de kosmische opdracht
13. Transmutatiechakra	onbewust van de incarnatie-opdracht

Ziekte van uw maatschappelijke omstandigheden
Naast ziekten, verstoringen in uw stoffelijk lichaam, kent men ook verstoringen in de maatschappelijke omstandigheden. De aard van de verstoring van iemands maatschappelijke omstandigheden kan ook weer wat vertellen over de blokkades die in de geest gekend worden. Deze verstoringen wijzen namelijk op een verstoorde werking van de chakra's en dus op een verstoorde doorwerking van de geest op de stof.

Door naar uw ziekten te kijken en uw maatschappelijke omstandigheden daarnaast te leggen kunt u bepalen welke chakra's mogelijk verstoord zijn en op welk niveau u aan uw geestelijke blokkades zult moeten werken, bijvoorbeeld door transformatie. Uw levensloop en uw ziekten zijn nooit ontstaan door toeval. Ze zijn door uzelf opgeroepen door middel van uw blokkades en het daarbij behorende karma.

Ook hier geldt weer dat een holistische benadering het beste werkt. Deze ziet er dan als volgt uit:

1. U zoekt uw maatschappelijke therapie*
2. U werkt daarnaast aan uw bewustwording
3. U transformeert uw blokkades

* Met 'maatschappelijke therapie' wordt bijvoorbeeld bedoeld: het zoeken van hulp bij een maatschappelijk werker, het volgen van een assertiviteitstraining of een cursus spreken in het openbaar, of het beginnen aan een beroepsopleiding.

Volksziekten, de ziekten van het leven
Wanneer we kijken naar de grote volksziekten die we in het leven aantreffen, dan hebben ze alle te maken met de geestelijke processen die zich massaal binnen het leven afspelen. De misstanden in het leven worden aangepakt, het leven schudt zijn blokkades, zijn ziekten, af en de mensheid wordt geacht hierin

mee te gaan. Zij krijgt dan, door het karma dat uitgewerkt moet worden, massaal ziekten op haar weg.

De grote volksziekten[22] die wij momenteel kennen, hebben alle te maken met de grote schoonmaak die de schepping aan het houden is in haar lagere aard, omdat zij gekozen heeft om te gaan functioneren vanuit haar hogere aard.

De blokkades die tussen het functioneren vanuit de hogere aard staan worden massaal teruggespiegeld naar de verwekkers van het blokkerend karma en de mens krijgt daarin zijn zelf opgewekte portie te dragen. De grote volksziekten die wij kennen hebben alle met die schoonmaak in de lagere chakra's van de schepping te maken.

U kunt hierin de volgende verbanden zien:

CHAKRA	VOLKSZIEKTE
1. Wortelchakra	kanker
2. Heiligbeenchakra	aids
3. Zonnevlecht	hart- en vaatziekten
4. Miltchakra	M.E. chronisch vermoeidheidsyndroom
5. Hartchakra	dementie (het weigeren van de hogere verant- woordelijkheden voor het leven die het hartchakra in de mens wil wekken)

De chakra's en de universele symbolen
Elk chakra geeft toegang tot één van de dertien bewustzijnsgebieden van de mens. Van de mens uit gezien zijn de chakra's de toegangspoorten tot deze gebieden. Om deze poorten makkelijk

open te kunnen doen zijn de universele symbolen vrijgegeven. Zij zijn de sleutels om de poorten te openen, door de chakra heen te gaan en het bewustzijnsgebied te betreden.

In onderstaande tabel kunt u de samenhang van de chakra's en de universele symbolen zien:

CHAKRA'S EN UNIVERSELE SYMBOLEN	
CHAKRA	UNIVERSEEL SYMBOOL
1. Wortelchakra	de Witte Roos
2. Heiligbeenchakra	de Kristallijnen Diamant
3. Zonnevlecht	de Witte Lelie
4. Miltchakra	de Ark
5. Hartchakra	de Graal
6. Thymuschakra	de Kristallijnen Kroon
7. Keelchakra	de Kristallijnen Lotus
8. Kosmisch doorstromingchakra	de Witte Zwaan
9. Hypofysechakra	de Gouden Zon
10. Epifysechakra	de Witte Iris
11. Kruinchakra	de Dubbele Ster
12. Transformatiechakra	de Gouden Zon met daarin een Witte Iris
13. Transmutatiechakra	de Vlammende Gouden Zon

APPENDIX V
DE UNIVERSELE WERELDREGERING

DE BRON VAN LEVEN

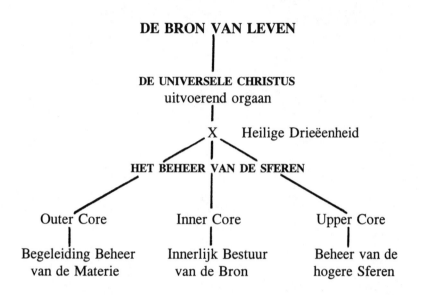

DE UNIVERSELE CHRISTUS
uitvoerend orgaan

X   Heilige Drieëenheid

HET BEHEER VAN DE SFEREN

Outer Core	Inner Core	Upper Core
Begeleiding Beheer van de Materie	Innerlijk Bestuur van de Bron	Beheer van de hogere Sferen

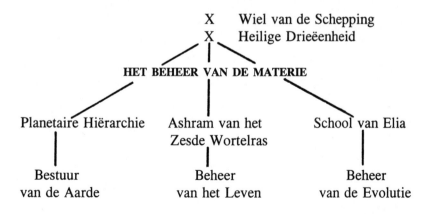

X   Wiel van de Schepping
X   Heilige Drieëenheid

HET BEHEER VAN DE MATERIE

Planetaire Hiërarchie	Ashram van het Zesde Wortelras	School van Elia
Bestuur van de Aarde	Beheer van het Leven	Beheer van de Evolutie

N.B. De takken van de Universele wereldregering kennen elk een loge voor de mens.

APPENDIX VI
MEESTERSCHAP

Het meesterschap door de eeuwen heen

Door de eeuwen heen heeft de mens het meesterschap met een waas van geheimzinnigheid en heiligheid omgeven. Het leek hem totaal onbereikbaar en wanneer we terugblikken dan is dat ook begrijpelijk. We zien namelijk dat het meesterschap weliswaar door de mens gedragen werd, maar dat het steeds vanuit hogerhand was vrijgegeven. De grote meesters en avatars werden naar ons toegezonden, zij waren Gezondenen. Zij bleven bij ons met een duidelijk omschreven doel en voor een door hogerhand bepaalde tijd.

Het meesterschap in het Aquariustijdperk

In het Aquariustijdperk kennen wij een andere uitingsvorm van meesterschap. Dit meesterschap is weliswaar volledig gelijkwaardig aan het historisch meesterschap, maar het wordt door de mens zelf verworven door middel van de groei van zijn bewustzijn. In het Aquariustijdperk klimt de mens de jakobsladder van zijn bewustzijn op om stapje voor stapje meesterschap over het eigen wezen te verwerven. Het nieuwe meesterschap kent daardoor vele niveaus.

Het meesterschap van het Aquariustijdperk komt niet meer van boven af naar de mens toe om hem te verlichten, waardoor hij als een Gezondene op aarde werkzaam kan zijn. Het is daarom ook niet meer voor een enkele uitverkorene weggelegd; elk mens is nu geroepen meesterschap te verwerven, op alle niveaus! Toen de mens zijn bewustzijnsmutatie naar de kosmische mens onderging, is het meesterschap in het collectief onderbewustzijn van de

189

mens vrijgegeven. Het ligt daar nu als een verworvenheid voor elk mens te wachten om in zijn bewustzijn ontsloten te worden.

De relatie tussen het oude en het nieuwe meesterschap

Het was de taak van de vorige generatie meesters om de weg van het meesterschap in de mens te banen. Zij dienden als voorbeeld dat de mens werd gegeven om het verlangen in hem te wekken om ook zelf zo in het leven te kunnen staan. In de loop van de geschiedenis werden de grote gezonden Meesters dan ook steeds 'menselijker'. Ze werden weliswaar nog steeds als goddelijk betiteld, maar ze werden steeds dichter en meer toegankelijk naast de mens geplaatst.

Jezus van Nazareth werd bijvoorbeeld als een gewoon mens in de grootst mogelijke eenvoud geboren. Hij mocht slechts enkele jaren van Zijn leven Zijn goddelijke opdracht dragen. Hij bracht de boodschap dat de mens en de mensheid op kunnen staan van het kruis dat hun persoonlijkheid (hun lagere zelf) hen oplegt, om op te mogen gaan in hun goddelijke persoonlijkheid (hun hogere zelf), waardoor de mens een kosmisch mens kan zijn.

De oude meesters hebben, naast de taak om als voorbeeld te dienen, enorm grote impulsen in de evolutie van de mensheid gegeven. Ze bespoedigden deze evolutie door de energie en de lering die zij meebrachten. Hun lering galmde nog eeuwen na. Uit de lering, die zij vanuit hun meegebrachte eenheid in de Bron van Leven gaven, zijn onder andere de grote wereldreligies ontstaan.

Het nieuwe meesterschap heeft een volkomen identieke betekenis. De kosmische mens mag met zijn verworven meesterschap ook een grote stimulans zijn voor de evolutie van de mensheid en het leven. Het verschil is echter dat hij daar nu zelf bewust voor kan kiezen door aan de ontplooiing van zijn bewustzijn te werken. Het meesterschap komt daardoor in fasen naar hem toe. Langzaamaan wordt hij steeds meer meester over zichzelf en krijgt hij meer vat op het leven op telkens weer hogere niveaus, om daar zijn aandeel te leveren aan de voortgang van de evolutie voor al wat leeft.

Laten we de niveaus van het meesterschap in het Aquariustijdperk eens wat nader beschouwen:

DE VERSCHILLENDE NIVEAUS VAN MEESTERSCHAP

Het meesterschap over de persoonlijkheid

Op de weg van bewustwording streven wij ernaar om eerst meesterschap over de persoonlijkheid te verwerven, dat wil zeggen: onze persoonlijkheid te disciplineren. Daarmee wordt de greep die het lagere zelf op de mens heeft doorbroken. Dit meesterschap leidt de mens naar de overgave van het lagere zelf aan het hogere zelf. De menselijke persoonlijkheid komt daardoor tot overgave aan de goddelijke persoonlijkheid. De vrije wil wordt gedisciplineerd ten gunste van de goddelijke wil.

Het meesterschap over de persoonlijkheid is de eerste fase van meesterschap die een mens verwerven kan. Het is voor de mens een Vissentijdperk lang de enige vorm van meesterschap geweest. Met dit meesterschap zal hij een bijdrage kunnen leveren aan de individuele bewustwording van de mens. Als werker voor het individu staat hij dan in het leven.

Het meesterschap over de persoonlijkheid is geen op zichzelf staande vorm van meesterschap, het is een onderdeel van het meesterschap over het menszijn:

I. HET MEESTERSCHAP OVER HET MENSZIJN

Het meesterschap over het menszijn is het eerste kosmisch erkende meesterschap. Het wordt verkregen door meesterschap te verwerven over:

1. De persoonlijkheid
2. De ziel
3. Het christusbeginsel
4. Het goddelijk beginsel
5. Het mystieke Zijn
6. Het Absolute Zijn
7. Het Alomvattend Zijn

Zoals u ziet, worden hier zeven fasen van meesterschap benoemd, die samen het meesterschap over het menszijn vormen. Dit staat in verband met de zevenvoud van bewustzijn zoals we die in het Vissentijdperk voor de aardemens kenden. Het is volledig juist om te veronderstellen dat er in het Aquariustijdperk dertien fasen van meesterschap over het menszijn moeten zijn. De hogere fasen van dit meesterschap konden tot nu toe nog niet in het bewustzijn van de mens indalen, maar ze zullen dit in de zeer nabije toekomst wel doen.

Dat de hogere fasen van het meesterschap over het menszijn nog niet hebben kunnen indalen staat in verband met het feit dat het hogere deel van de aquariusblauwdruk pas in de komende jaren bekrachtigd zal worden. Deze bekrachtiging zal in mei van het jaar 2000 voltooid zijn. De aanvullende fasen van meesterschap kunnen dus nog niet beschreven worden en er kan hier maar een beperkt beeld geschetst worden van het meesterschap over het menszijn. Dit geldt natuurlijk ook voor de hieronder volgende andere vormen van meesterschap:

II. HET MEESTERSCHAP OVER DE SCHEPPING

Met de intrede van het Aquariustijdperk is naast het meesterschap over het menszijn ook het meesterschap over de schepping aan de mens vrijgegeven. Dit meesterschap zal in vier verschillende hoofdniveaus naar u toekomen:

A. HET MEESTERSCHAP OVER DE MATERIE

1. Het meesterschap over het menszijn
2. Universeel Meesterschap
3. Kosmisch Meesterschap
4. Groot Kosmisch Meesterschap
5. Integraal Zijn
6. Universeel Zijn
7. Wereld Zijn

B. HET MEESTERSCHAP OVER DE GEEST

1. Onvoorwaardelijkheid
2. Belangeloosheid
3. Zelfloosheid
4. Universele transformatie
   De mens als universele transformator
5. Universele transmutatie
   De mens als universele transmutator
6. Eenheid van goddelijk en menselijk bewustzijn
   De mens ter rechterhand Gods
7. De vervulling
   De verbinding met de hoogste Geest van de schepping

C. HET MEESTERSCHAP OVER DE HOOGSTE GEEST

Het meesterschap over de hoogste Geest van de schepping kent drie vormen, die ervoor zorgen dat de mens kan toetreden tot:

1. De Loge van de Mahachohan van de materie
2. De Loge van de Mahachohan van de Geest
3. De Loge van de Mahachohan van de Hoogste Geest

Een mahachohan is de beheerder van één tak van de Heilige Drieëenheid, waarop de schepping is gebaseerd.

D. HET MEESTERSCHAP OVER HET LEVEN

In de schepping bestaat de hoogste, de dertiende laag van de geest uit Eenheid, uit het Zijn. Op dat gebied vinden wij nog geen differentiatie, daar is alles nog uitsluitend transparant. De eerste verdichting in de schepping gaf het leven vorm. Ook over het leven kan meesterschap worden verworven, waarin dan de volgende driedeling gezien kan worden, eveneens gerelateerd aan de werking van de Heilige Drieëenheid in de schepping.

Het meesterschap over het leven bestaat op het niveau van:

1. De Universele Liefde
2. Het Universele Licht
3. Het Universele Leven

NOTEN

1. Over het ontstaan van de kosmische mens in het Aquariustijdperk wordt in 'de Kroniek van een Tijd' gesproken. In deel 16: *De nieuwe mens* (1989) wordt hier uitgebreid op ingegaan. Dit cahier wordt verspreid door het secretariaat van Sonia (zie Adressen).
Voor meer informatie over de vissentijdperkmens en de kosmische (aquarius)mens kunt u Appendix I raadplegen.

2. De Bron van Leven is het centrum in de schepping waarvanuit al het leven is gegenereerd. Het is het levengevende punt in de schepping waaruit alle creatie is ontstaan. De mens staat met de Bron van Leven in contact via een innerlijke mystieke verbinding, die hij aantreft in zijn hogere wezen.

3. Beginners worden aangeraden het boekje *Transformatie* te lezen. Dit boekje is uitermate geschikt om kennis te maken met deze materie. *Transformatie*. Sonia. Uitgeverij De Gouden Kroon, Voorschoten, 1995.

4. In de psychologie wordt dit fenomeen ziektewinst genoemd.

5. De goddelijke wil manifesteert zich in het bestaan via het perpetuum mobile van opgang en groei, de drijfkracht van de evolutie.

6. Wilt u meer weten over verslaving, beluister dan de themadag 'Verslaving, een u allen bekend verschijnsel' (04-05-'96). De uitgeverij De Gouden Kroon zal de neerslag van deze themadag waarschijnlijk in 1998 in boekvorm

uitgeven. Voor verdere informatie kunt u terecht bij het secretariaat van Sonia (zie Adressen).

7. De vorming van de persoonlijkheid wordt uitvoeriger beschreven in *Het Rad van Wedergeboorte II: De levensreis*. Sonia. Uitgeverij De Gouden Kroon, Voorschoten, 1996.

8. In de cursus *Liefde, gebruik of misbruik?* wordt ingegaan op het verschil tussen persoonlijke plichtsbetrachting en het geven vanuit de hogere vormen van liefde. Deze cursus is beschikbaar op band en in cahiervorm. U kunt deze bestellen via het secretariaat van Sonia (zie Adressen).

9. Wilt u meer lezen over het onderwerp depressie, lees dan: *Het ontstaan van het aquariusgen deel I: Depressie*. Sonia. Uitgeverij De Gouden Kroon, Voorschoten, 1996.

10. Voor meer informatie over transformatie en transmutatie kunt u hoofdstuk vier, II: Het Aquariustijdperk lezen.

11. Niet iedereen die in het klooster intreedt of gaat wonen in een commune of ashram vlucht voor het leven. Er zitten uiteraard ook veel mensen in die wel actief betrokken zijn bij het leven en hun verantwoordelijkheden zijn aangegaan. In een commune of een ashram zijn dit meestal de oprichters. Onder de volgelingen kunnen wij degenen ontmoeten die voor het leven op de vlucht zijn.

12. In 1989, ten tijde van het vallen van de Berlijnse muur, heeft de spirituele evolutie ingezet. Vanaf die tijd wordt de evolutie gericht op het evolueren van het bewustzijn.

13. In oktober 1995 werd de aankondiging van de nieuwe weg van bewustwording ontvangen tijdens de lezing: *Transformatie, de nieuwe vorm van bewustwording*. Deze

lezing is op band te bestellen via het secretariaat van Sonia (zie Adressen).

14. Bij het tot rust brengen van uw gedachten is het een grote steun om op universele wijze te mediteren. In een universele meditatie wordt uw bewustzijn door middel van een universeel symbool gericht op de Bron van Leven. De transformatiesymbolen die genoemd zijn in Appendix III zijn hier uitermate geschikt voor (zie ook Appendix II: Wenken voor meditatie).

15. Zoekt u meer uitgebreide informatie over het leven na de dood, lees dan *Het Rad van Wedergeboorte II: De levensreis*. Sonia. Uitgeverij De Gouden Kroon, Voorschoten, 1996.

16. Voor meer informatie omtrent deze materie, lees dan *Het Rad van Wedergeboorte I: Incarnatie*. Hierin wordt veel uitgebreider beschreven hoe het mechanisme van incarnatie verandert en wat dat voor de mens die incarneren wil inhoudt, welke keus hij heeft en welke consequenties die voor hem hebben. Sonia. Uitgeverij De Gouden Kroon, Voorschoten, 1995.

17. U zult zich misschien afvragen wat er in de periode van 1985 tot nu in het proces van evolutie gerealiseerd is. De volgende wapenfeiten kunnen worden gemeld:
Van 1985 t/m 1992 werd de aquariusblauwdruk volledig in de sferen opgebouwd. Een ooggetuigenverslag hiervan kunt u lezen in 'de Kroniek van een tijd', die door Sonia in 24 cursussen ontvangen werd.
Als gevolg van het vormen van deze blauwdruk werd in 1989 de spirituele evolutie afgestart, die het bewustzijn van de mens en van al wat leeft tot ontwikkeling brengt.
In 1994 werd met de bekrachtiging van de aquariusblauwdruk begonnen, die tot het jaar 2000 zal duren.

18. De Historische Christus, Jezus van Nazareth, heeft gedurende het Vissentijdperk de opstanding in Zijn hogere wezen gemaakt. In september 1995 heeft Hij dat proces afgerond en werd Hij de Universele Christus, die de Vader én de Zoon in Zich draagt.

19. Voor meer informatie hierover kunt u het cahier *Esoterisch besef* of het boek *Het Rad van Wedergeboorte III: Inwijding* raadplegen. Sonia. Uitgeverij De Gouden Kroon, Voorschoten, 1996. Het cahier is te bestellen via het secretariaat van Sonia (zie Adressen).

20. De dertien Meesters van Liefde en Wijsheid van de Planetaire Hiërarchie hebben elk voor de mens een loge geopend. Deze dertien loges worden gezamenlijk de Loge van de Planetaire Hiërarchie genoemd.

21. Het zesde wortelras is het mensenras dat gekenmerkt wordt door de mens die de Bron van Leven in zich ontsloten heeft: de kosmische mens.

22. Over de volksziekten kanker, aids, de hart- en vaatziekten en over dementie zijn reeds leringen door Sonia ontvangen. Deze zijn op cassetteband verkrijgbaar en kunt u bestellen via het secretariaat van Sonia (zie Adressen).

UITGEVERIJ DE GOUDEN KROON

De uitgeverij De Gouden Kroon is in 1995 opgericht met als doel het verbreiden van de aquariusmystiek.

Van Sonia zijn reeds verschenen:
Omgaan met de psychotische patiënt
De puberteit, een bijna onmogelijke opdracht
Van angst naar moed, het oertrauma van de mens
Transformatie
Het Rad van Wedergeboorte I: Incarnatie
Het Rad van Wedergeboorte II: De levensreis
Het Rad van Wedergeboorte III: Inwijding
Op weg naar de zon, een weg naar hoger genezerschap
Het ontstaan van het aquariusgen deel I: Depressie

Engelstalig:
In a Nutshell
Transformation

U kunt van haar spoedig verwachten:
Zaaien en oogsten
Hoger genezen
Zelf genezen

ADRESSEN

Secretariaat Sonia,
Van Beethovenlaan 69b,
2253 BE Voorschoten,
Tel/fax: 071-5613964.

Uitgeverij De Gouden Kroon,
Van Beethovenlaan 69b,
2253 BE Voorschoten,
Tel/fax: 071-5613964.